MW00629568

DIOS TIENE UN
PROPÓSITO
CONTIGO

Un viaje a través de los sueños
y la realidad para encontrar el
propósito de Dios.

ROBERT GREEN

PRÓLOGO POR CHRISTINE D´CLARIO

Para: _____

DIOS TIENE UN
PROPÓSITO
CONTIGO

ROBERT GREEN

Edición: Octubre 2021
Copyright ©2020 por Robert Green.
ISBN - 978-1-956625-05-9

Las escrituras marcadas como "RVR 1960" han sido tomadas de la versión Reina-Valera © 1960 Sociedades Bíblicas en América Latina. Usada con permiso. Las escrituras marcadas como "NVI" son tomadas de La Santa Biblia, Nueva Versión Internacional ® NVI® Copyright © 1999 por Bíblica, Inc.® Usada con permiso. Las escrituras marcadas como "NTV" son tomadas de la Santa Biblia, Nueva Traducción Viviente, © Tyndale House Foundation, 2010. Usada con permiso. Las citas bíblicas identificadas (TLA) han sido tomadas de la Traducción en lenguaje actual™ © Sociedades Bíblicas Unidas, 2002, 2004. El texto en negrita en las citas bíblicas representa el énfasis del autor.

Autor: Robert Green - Autor independiente.
Edición y corrección de estilo: Carlos Arturo Guisarre, Vianny Solano, Sinai Urdaneta y Gisela Sawin.
Distribuido y Publicado por RENACER UNO CORP
Diseño de portada: David Navejas | DNG Creative.
Diseño portadillas y Memorias: Sinai Urdaneta | Seven Media
Diagramación general: Euselandia Alcántara | ERASDG.
Agencia editora: ERAS Disgraf, Llc., Miami, Florida | MDConexiones.
Diagramación de Formatos Electrónicos: Pablo Montenegro.

Este libro está disponible en formato electrónico - Amazon Kindle, Apple Books y Google Play Books.
Impreso en los Estados Unidos de América.
Contacto Autor: contacto@robertgreenb.com
www.robertgreenb.com

ROBERT GREEN

«En los últimos tiempos veremos un gran despertar espiritual como nunca antes, donde millones de creyentes vivirán la gloria de Dios a otro nivel jamás visto en la tierra. Espero que, al leer estas palabras, tu corazón se encienda y no solo seas un espectador de lo que Dios hará con otros, sino que seas un protagonista y un colaborador dentro de la historia de Dios. Mi amigo Robert Green tiene la gracia y la pasión para inspirarnos a conocer más del propósito eterno, que todos volvamos a ser conforme a la imagen del hijo y que podamos agradar al Padre en todo (Romanos 8:29).»

Marcos Brunet. Ministerio TOMATULUGAR

«En la vida podemos hacer grandes descubrimientos, tales como: con quién me voy a casar, qué carrera debo estudiar, dónde viviré, etc... pero estos representan solo algunas de las piezas que conforman nuestro propósito de vida. Pero mi amigo Robert Green descubrió lo más importante: El propósito de Dios para su vida. Por tal razón, su historia puede ser un espejo en el que todos podemos vernos. Estoy convencido de que mi amigo ha podido soportar los procesos por los que ha debido atravesar, únicamente al ser cubierto por las fuerzas que vienen de Dios. También sé que ha perseverado porque ese mismo Dios le reveló Su propósito, y cuando ya sabes lo que te espera, la espera no desespera. Descubrir nuestro propósito es poderoso y efectivo, porque en él se encierra la razón de nuestra existencia. Siempre he admirado el talento increíble de Robert Green, y he reconocido la unción de Dios en su vida. Te invito a que leas este libro con la convicción anticipada de que Dios tiene un propósito contigo que te bendecirá.»

Willy González • REDIMI2

«Conocí a mi amigo Robert en una actividad de adoración. Mientras él ministraba y cantaba junto al equipo de Barak, la nube de la gloria de Dios descendió, y cuando Robert nos guiaba a tener nuestros ojos puestos solo en Jesús y no desenfocarnos de Él, todos inmediatamente pusimos nuestra mirada en Dios, y el abrazo de Su Presencia era tan palpable que fue impactante. Pude ver el respaldo de autoridad que hay sobre su vida y definitivamente entendí que "toda gloria tiene una historia". Doy gracias a Dios por este libro, su sinceridad y vulnerabilidad se ve reflejada en cada palabra, cada capítulo, cada testimonio. Estoy convencido de que será de mucha bendición para todo el que lo lea. ¡Gracias Robert por no darte por vencido y contarle al mundo entero que DIOS TIENE UN PROPÓSITO para cada uno de nosotros!»

Josh Morales • *Miel San Marcos*

«Robert Green es uno de los regalos más grandes y especiales que Dios nos ha dado para esta generación. El mensaje que transmite y la vida que irradia, producirá en ti, si lo permites, una marca para siempre en tu vida. Este libro no son hojas con simple información, ¡es un manual que guía a una generación entera a regresar a Dios y buscar Su propósito! ¡Qué mensaje tan oportuno! Nunca en la historia hemos necesitado esta palabra más que ahora. Sin duda, este libro marcará un antes y un después en tu vida. ¡Abróchate el cinturón y únete ha miles que son parte de este mensaje y este movimiento!»

Bryce Manderfield • *Fundador Presidente de Soluciones Juveniles, Inc.*

«La vida de mi querido Robert ha sido de mucha bendición desde el momento que lo conocí. En su misericordia, Dios nos ha hecho libres de toda condenación de nuestro pasado a través de Su maravilloso amor, Su cuidado y la forma en que nos llamó. Sé que este libro será violentamente retador en animarnos a encontrar nuestro propósito al transitar los consejos y testimonios de nuestro querido Robert. Oro que el Espíritu Santo tome cada palabra escrita en este libro convirtiéndola en vida para cada uno de nosotros.»

Alex Campos

«Siempre he admirado los cuatro evangelios de la Biblia, porque relatan la misma historia, pero de manera diferente. Cada uno de ellos habla de la vida y ministerio de nuestro Señor Jesucristo, y cómo Su gran poder transformó la vida de muchos. Leer el libro de mi amigo Robert es "como" si él estuviera escribiendo con sus experiencias de vida, su propio quinto evangelio y relatando cómo el poder de Jesús lo transformó y le dio un propósito. Hay tres voces que tratarán de darle dirección a tu vida: La tuya, la del enemigo o la de la gente; pero la que vence y prevalece sobre todas las demás es, la Voz de nuestro Padre celestial; el Creador del Universo y autor del propósito de tu vida. Sin duda, este libro te regresará a los brazos del Padre y te bendecirá.»

Daniel Calveti

«He leído la historia de muchos grandes hombres de diferentes ámbitos del mundo y es interesante conocerlos a través de sus propias vivencias y biografías, pero cuando tú conoces la historia desde cerca, y luego la lees en un libro, es muy diferente, ya que es el relato de distintas situaciones de alguien a quien amas, y entonces miras todo desde otro punto de vista. Ver a un amigo luchar día a día por superarse y comprender que esas historias serán leídas por muchas personas, me impacta, ya que pude vivir a su lado mucho de lo que describe. Eso no tiene precio. Robert es un joven luchador, que desde niño tuvo un sueño y nada lo detuvo, ni la pobreza, ni el hambre, ni las diferentes situaciones que vivió pudieron con él. En su corazón ardía una llama de "Guerrero soñador" que sabía hacia dónde iba y por qué estaba luchando. Este libro será un viaje que te llevará muy lejos, y te ayudará a ver la vida desde otra perspectiva. Recién entonces comprenderás que no existe nada imposible si puedes creer en Dios y en ti mismo.»

Ángelo Frílop • *Grupo Barak*

«Estoy convencido de que este libro será una herramienta para levantar jóvenes en todo el mundo con un corazón dispuesto a morir a sus planes personales y entregarle a Dios el timón de su vida. En este libro encontrarás piezas rotas que cayeron en las manos de Dios para hacer una obra perfecta. Sé que el proceso de Robert Green nos mostrará cómo Dios nos atrae cada día con sus cuerdas de amor, aun alejándonos de Él, porque *Dios tiene un propósito contigo*. No hay duda de que encontrarás las herramientas necesarias para examinarte y hallar el plan que Dios diseñó para ti, no por tus propios objetivos sino por los que vienen de Él. Después de haber leído este libro surgirán deseos ardientes de buscar la Presencia de Dios en intimidad. Espero disfrutes tanto como yo, este hermoso testimonio de vida.»

Janiel Ponciano • *Grupo Barak*

«Conocí a Robert Green en esa parte de nuestra historia en la que muy pocas personas se atreverían a dar una palabra profética sobre nuestro destino o propósito en la vida, porque, aunque Dios tenga planes con nosotros, verlos y creérlos es un gran reto. Es que los diamantes no pueden ser encontrados si solo los conoces cuando están pulidos en una lujosa vitrina; para hallarlos tienes que buscar en tierras profundas. Esa es la diferencia. Es posible que muchos ignoren que algo ordinario y tan poco reluciente llegue a tener tan alto valor después.

Pero solo los mentores, los especialistas, sabemos distinguir la diferencia entre piedras sin valor y brillantes sin pulir, y los acompañamos en el proceso a transformarse en elementos de gran valor ante los ojos de Dios.

Esto me hace pensar en tantos personajes bíblicos que parecían no tener ninguna posibilidad en la vida y luego se transformaron en dueños de reinos completos. Como David, menospreciado por todos y considerado incapaz entre sus hermanos y su padre, sin embargo, fue una pieza determinante en el propósito de Dios.

Quiero invitar a todos los que son portadores de sueños, aquellos que creen en el propósito de Dios para con ellos, a leer este libro, porque será una gran ayuda para esa etapa en la que pocos creen lo que tú sabes que eres e ignoran lo que Dios puede hacer. *Dios tiene un propósito contigo* te ayudará a mantener vivo el sueño de Dios en tu interior y te dará principios para hacerlo surgir. Recuerda que muchos tienen una sola meta en su vida y es matar el plan que Dios preparó para ti, y este libro será el mapa que te ayudará a llegar primero y asegurar el PROPÓSITO DE DIOS PARA TU VIDA.»

Pres. Santiago y Norelys Ponciano
• *Padres Espirituales*

«Es muy honroso para mí, que mi hijo Robert pueda testificar a otros lo que Dios ha hecho en su vida, y de cómo lo ha orientado en el camino. Días antes de escribir esta nota, alguien me dijo que lo escuchó decir que él "no sabía no ser cristiano". Yo tampoco lo sé, pero sí siempre supe que serlo era la mayor de las fortunas. Por esta razón, el texto de Proverbios 22:6 atravesaba mi mente y mi corazón cada día por mis tres hijos. Estoy seguro de que en el transcurso de la lectura de estas páginas podrás ver a Dios y a Su Palabra peleando en favor de un hijo de la promesa.»

Pr. Ramón Green • Mi Padre

«El libro que usted tiene en su mano, escrito por mi hijo mayor Robert Green, trata sobre cómo superar las diferentes problemáticas espirituales y conductuales para salir victorioso del temor y la ansiedad viendo un Dios real en cada circunstancia de tu vida. *Dios tiene un propósito contigo* nació en el corazón de un joven cuyo propósito es enseñarte que, aunque los obstáculos siempre se presenten, Dios quiere bendecirte. Su autor te anima a permanecer en la fe, y la victoria te alcanzará y te llevará a otro nivel (Romanos 8:37). Te invito a leer con mucha atención este maravilloso libro que te guiará a comprender por qué vienen las pruebas, y cómo atravesarlas para alcanzar tu propósito.»

Dra. María Brito • Mi Madre

«Sé que cada frase de este libro bendecirá tu vida, como ha bendecido la mía. Estoy tan orgullosa de ti, querido Robert, y de cómo Dios te ha formado en todo este tiempo. Pude ver tu vida reflejada en cada capítulo, y observé cómo Dios marcó un antes y un después en ti. Eres un ejemplo de perseverancia, valentía, y de cómo los procesos pueden hacerte cada vez más fuerte. A través de cada página pude sentir realmente tu corazón. Siempre creí conocerte, pero cuando leí *Dios tiene un propósito contigo* pude sentirte más profundamente, pude percibir tus angustias y tus anhelos, y cómo Dios ha trabajado contigo. Entendí que Él te ha respaldado en tus batallas al comprender cómo lo amas verdaderamente. Este es solo el principio de todo lo que Dios quiere mostrarte, y todo lo que hará en tu vida. Soy más que bendecida de tenerte a mi lado y poder llamarte esposo. Eres un ejemplo para mí y para tus hijos.»

Ana Polanco • *Mi Esposa*

Contenido

Agradecimientos

A ti, mi Dios, por darme de tu gran amor y misericordia, por ser mi inspiración cada día, por escogerme aún con tantos defectos y darle sentido, dirección y destino a mi vida cuando pocos apostaban algo por mí. Por ser mi sustento de fe y extender tu mano cuando en múltiples ocasiones quise correr en un sentido opuesto al tuyo. Por ser el protagonista de estos diez capítulos, así como inspirarme y enseñarme cada vez que me sentaba a escribir, no solo fuiste mi compañero, sino también mi guía. Sin ti no quiero nada, pues sé que contigo tengo todo lo que necesito. Tu gracia es suficiente.

Anny, has sido mi soporte en tiempo difíciles y mi pañuelo de lágrimas en cada uno de mis procesos, la voz de Dios cuando necesitaba escucharlo, mi novia eterna, mi esposa y quien toma mis victorias como suyas. ¡Gracias, amor, por siempre estar en primera fila tomando fotos y disfrutando mis presentaciones, así como ser la primera en corregirme y motivarme cuando no hago las cosas del todo bien! Contigo se despejan todas mis tristezas y vuelo a un mundo de felicidad cuando estoy a tu lado. Te amo y te amaré por siempre. Mi reina. Mi complemento perfecto.

Amy, Jayden y Dylan, ustedes son el cumplimiento de las promesas de Dios para mi vida, mi mayor regalo y más grande bendición. Son capaces de hacerme enojar, pero de un segundo al otro me sacan una sonrisa. Su papá los ama y espero que todas las herramientas de este libro les ayuden a descubrir su propósito en la vida, y puedan continuar dignamente el legado de fe que les dejo. No prometo que papá esté aquí por el resto de sus vidas, pero sí prometo ayudarlos y amarlos por el resto de la mía. ¡Los amo y me siento orgulloso de ustedes!

Mami, tú eres mi superhéroe. Podría escribir un libro completo solo contando lo mucho que te amo y cuánto agradezco lo que has hecho por mí. Eres mi mayor inspiración y también lo eres para todo el que llega a conocerte. Por siempre y para siempre: Mi vencedora.

Papi, no hubiera podido escribir este libro sin tus sabios consejos y semillas que has plantado en mi corazón. Gracias por instruirme, amarme, orar y pedirle a Dios que ese Robertico que un día caminó contigo de la mano declarando tus poesías, hoy sea un gran hombre de Dios. ¡Te amo papi! Aunque no fue sencillo, lo lograste.

Hermanitas, Catherine y Caroline, las amo. ¿Recuerdan todas las locuras que hicimos juntos, como cuando jugábamos canicas y básquet, así como cuando cantábamos y resbalábamos en el balcón? Nunca olvidaré cuando jugábamos al futbol con las almohadas, y con las sábanas resbalábamos en las escaleras. Reíamos y contábamos cuentos hasta quedarnos dormidos. Todos los días doy gracias por las mejores hermanas del mundo, que desde mi infancia me hacen tan feliz.

Ibel, mi querida suegra, agradezco tanto a Dios por su vida, ha sabido creer en mí y apoyarme desde el primer día. Gracias a mi suegro Gilberto y a mis cuñadas Marlenne y Gibe. Al final, no salí tan mal partido, ¿verdad? Brindo por esas tardes divirtiéndonos en las playas de Nagua y el Bethel 6 #26.

Ángelo y Raquel, gracias por bendecirme tanto y estar en uno de los momentos más cruciales de mi vida al traerme esperanza y darme mucha fuerza en esa temporada cuando no las tenía. ¡Los quiero amigos!

Janiel, Dios se acordó de darme el hermano que le pedí hace tiempo. Josué, David, Ismael Davila, Pao, estuvieron desde el principio, sin ustedes no se escribiría esta historia. ¡Gracias por estar cerca!

Pastores Santiago y Norelis Ponciano, ustedes fueron y son la voz de muchas palabras proféticas que he recibido durante los últimos veinticinco años. Su compromiso personal y su fidelidad a Dios me inspiran y conmueven. ¡Gracias por velar y sustentar mi vida espiritual!

Amada iglesia TBA. ¡Qué gran familia me ha dado Dios! Estoy más que orgulloso de su pasión y trabajo para que el mundo viva y se encuentre con Dios.

Sinaí, ¡por fin podemos celebrar amigo! Solo tú y yo sabremos las innumerables horas que pasamos de ediciones y correcciones. Me ayudaste a encontrar las palabras necesarias para comunicar mi historia, cuando quizás yo solo me hubiera dado por vencido. ¡Gracias, amigo!

Gracias a cada uno de aquellos que han estado conmigo, sin importar el tiempo y el espacio del trayecto. Aquellos amigos que estuvieron cuando esto solo era un sueño y también los que han llegado a formar parte de mi presente compartiendo o comentando un video, un escrito o una foto. A aquellos que han ido a conciertos, que me han abrazado en un aeropuerto, en la calle, en un lobby, o en cualquier lugar. A aquellos que me han enviado un correo electrónico lleno de bendiciones, que me han dicho que no me detenga, que han orado por mí, que me han defendido, que me han cuestionado, que me han enseñado y rectificado.

A ti, mi amigo lector, que me honras con estar aquí, listo para leer este libro. ¡Dios te bendiga!

Prólogo

Probablemente elegiste este libro porque admiras los dones que Dios ha puesto en la vida de Robert Green. Indudablemente, Él le ha hecho un regalo a nuestra generación al darnos sus inspiradoras canciones e impactante voz. Conocí a Robert a través de su ministerio musical, como cantante del Grupo Barak. Con el correr de los años he sido muy bendecida por la unción de Dios que reposa sobre él. Más al conocerlo de cerca, he visto que su vida reafirma ese popular adagio que dice: «Detrás de la gloria siempre hay una historia». Muchas veces esa historia es forjada en el fuego. Y de esto Robert Green sabe.

Desde que tengo uso de razón, el cristianismo ha sido parte de mi vida. Nací y me crie en un hogar de creencia ferviente en un Dios vivo, que se ha hecho real tantas veces en nuestro hogar. Esto es una gran bendición y privilegio, pero a la vez un gran desafío. Esto es algo que tenemos en común Robert Green, el autor de este maravilloso libro, y yo.

El pensamiento común es creer que todo es más sencillo si formas parte de un hogar creyente. Incluso, he escuchado a muchos decir que un gran «testimonio» es el de aquel que vivió una vida sin Dios y, después de un encuentro sobrenatural con Él, tuvo un cambio drástico que transformó su vida. Por cierto, no hay duda de que estos relatos son poderosos. Pero igual de poderoso es escuchar testificar a aquel que habiendo crecido dentro del ámbito cristiano, en la casa misma de la Salvación, estuvo a punto de perderse si Cristo no hubiera salido a su encuentro.

Aquel que haya podido descifrar el sonido de la sublime voz del Espíritu Santo entre el alto parloteo religioso que puede haber entre Sus seguidores, es quien comprende realmente que ser criado entre las bancas de una iglesia no significa un viaje automático a la salvación. Es necesario hallar la redención en el Dios del evangelio y tener una relación personal con Él. Todos tenemos una intrínseca e insaciable necesidad que solo Dios puede suplir.

Dios tiene un propósito contigo es un libro que revela cómo Dios ha ido formando Su propósito en la vida de Robert Green, aun utilizando los momentos difíciles para moldear su verdadera identidad como hijo de Dios. En su relato cuenta el proceso de cómo descubrió que esa identidad no estaba en su crianza, sino en su Creador. Cabe aclarar que crecer bajo la tutela de un padre pastor, apasionado por el cuidado de sus ovejas, y de una madre fogosamente enamorada de Dios, produjo en él un corazón entregado al servicio de Dios. Sin embargo, generó también algunos grandes interrogantes: ¿Cómo enfrentar las presiones que recaen en ser el «hijo del pastor»? ¿Cómo superar las duras pruebas que enfrentan aquellos que crecen en una familia de líderes de la iglesia? Más aún, ¿qué hacer cuando cumplir dogmas eclesiásticos ponen en peligro la unidad familiar? y finalmente, ¿cómo encuentro cuál es el propósito de Dios en mis dificultades?

Me sorprendí al leer la respuesta que Robert Green brinda a estas y otras preguntas esenciales de la vida. Este maravilloso libro encierra toda la sabiduría que Robert Green ha adquirido través de su temprana formación familiar, y el camino al descubrimiento, el desarrollo y la utilización de sus dones para levantar el nombre de Cristo en las naciones a través de su ministerio.

Además de una historia personal, la franqueza del autor sin duda servirá de guía para todo aquel que busca hallar su propósito en Dios, más allá de su historia personal o su llamado específico.

Luego de nacer, a todos nos toca el ciclo continuo de sufrir, sanar, aprender y crecer. Este libro muestra y demuestra cómo Dios utiliza ese proceso una y otra vez para refinar Su carácter y Su propósito en nuestra vida. En cada una de estas páginas encontrarás muchas claves para tu propio crecimiento.

Es mi oración que, al finalizar de leer esta obra, puedas recibir tanta bendición e inspiración como he recibido yo. Y que esa «historia detrás de la gloria» que está siendo forjada en tu vida produzca más y más de la luz reluciente de Cristo en ti. Deseo que seas bendecido sabiendo que *Dios tiene un propósito contigo*.

Christine D' Clario

Introducción

Dios creó todo lo que existe con el sonido de Su voz. Con pocas palabras dio origen, sustancia y propósito a todo lo que hoy somos capaces de ver. Le tomó algunos días hacer lo que hoy vemos como galaxias, cielo, tierra, animales y todo lo que somos capaces de percibir. Sin embargo, Él notó que no podía descansar hasta finalizar Su obra maestra: crear al ser humano. Ahí entramos tú y yo. Somos esa parte especial que completa el plan de Dios con el objetivo de reflejar al Padre sobre lo que ya fue creado, por esto nos hizo tan parecidos a Él.

Lamentablemente no siempre somos capaces de mirarnos en el espejo limpio de Dios para poder ver los motivos por el que somos y existimos. Entiendo que quizás miles de circunstancias te han hecho ver desligado y diferente de la aparente inalcanzable perfección de Dios, sin embargo, esto no te ha sacado de Su mente ni mucho menos de Su plan.

Las razones por las que fuiste creado jamás podrán ser halladas en ti mismo, sino en el Creador. Nada se trata de ti, si no de Él, pues a fin de cuentas es la fuente, el origen y el principio de todo. «Puedes hacer todos los planes que quieras, pero el **propósito** del Señor prevalecerá» (Proverbios 19:21 NTV). No podría hablarte de propósito si no busco el origen del mismo, y he entendido que todo gira en torno a Él, por lo que este libro no será la excepción.

Estas páginas narran la indudable insistencia de Dios en mostrarnos Su plan, capacitarnos para entender Su propósito y caminar conforme al mismo, así como describen las valiosas herramientas con las que nos equipa aún en nuestra humilde condición para que podamos mostrarlo al mundo.

Al momento de leerlo hallarás como complemento adicional valiosas enseñanzas, relatos que cuentan sucesos de mi infancia, adolescencia y adultez, en los que no siempre se ven las cosas desde el mejor ángulo.

Antes de que te sumerjas en el contenido de los capítulos debo aclararte que muchas decisiones que tomé en mi pasado son consecuencia de la forma de pensar que tenía en aquel entonces. Si se me ha escapado alguna afirmación que confronte tus conceptos, eres libre de decidir retener lo bueno, y acompañar tu lectura con la hermosa y perfecta guía del Espíritu Santo.

De antemano te aclaro que en el proceso de redacción de *Dios tiene un propósito contigo*, el Padre fue mi guía en cada palabra, acompañado además de personas que aman y temen al Señor rodeándome de sabios consejos en lo que sería más conveniente y edificante para ti al momento que lo leas.

Cuando ya hayas pasado algunas hojas, espero me permitas entrar en la confianza de una amistad contigo, pues la necesitaré para que cada una de mis palabras sea sembrada en ti como una semilla en buena tierra y dé mucho fruto. Estuve orando por ti antes de que esta escritura llegará a tus manos, por lo cual confío en que esta será una herramienta que fortalecerá tu vida espiritual y te revelará la importancia de una vida en comunión permanente con el Padre.

A pesar de que entre estas líneas cuento mi historia, te ruego que no te distraigas con los hechos de mi pasado, mis pensamientos, y las cosas que viví, pues esta lectura no fue hecha con el fin de ser un libro más de autoayuda basado en el corazón humano, sino que he usado algunas de mis vivencias como un punto de partida para explicar la razón real del «por qué» Dios sopló sobre mí Su aliento, con la única intención de que sea vista Su intervención gloriosa en mis insignificantes situaciones. «Y sabemos que a los que aman a Dios, todas las cosas les ayudan a bien, esto es, a los que conforme a su *propósito* son llamados» (Romanos 8:28 RVR 1960).

En este libro comprimí todo lo que considero que puede colaborar, impulsar, y educar a todo aquel que tiene un llamado y ministerio pero, que aun se encuentra en medio de muchas preguntas para descubrir claramente en qué y cómo puede servir a Dios.

Te regalo diez capítulos cargados de enseñanzas; úsalos como unos zapatos en los que puedes caminar hasta sentir en carne propia la semejanza con tu diario vivir, y si quizás en tu lectura experimentas quebranto, felicidad, confrontación, amor, y algún que otro sentimiento agridulce, yo no soy responsable de esto, pues te darás cuenta de que Dios está escondido entre estas letras buscando hablarte con intensidad, exponiendo Su deseo ardiente de hacerte cercano a Él y destruyendo cualquier mentira que el enemigo ha dicho de ti, pues por encima de todo *Dios tiene un propósito contigo*, y este es momento de descubrirlo.

Robert Green

UNA CASA DE CABEZA

Capítulo 1

UNA CASA DE CABEZA

Como toda buena historia de ficción, siempre debe haber héroes y villanos. Crecimos leyendo historietas donde los villanos siempre eran derrotados y los héroes vitoreados. Desde pequeños queríamos jugar a ser los héroes, los que salvan a la dama de no caer al vacío. Pero nadie quiere ser el villano, el que trama estrategias de destrucción para hacer sufrir a los demás.

En esta historia que comienzo a relatarte tal vez pretendas encontrar héroes o villanos, y hallarás hombres y mujeres como tú y como yo, que viven tomando decisiones, a veces acertadas, otras veces incorrectas, pero a quienes Dios ama y perdona porque son sus hijos amados.

Pero… ¿Cuándo surge el momento en el que Dios decide que lleguemos a la tierra y cuál será la familia que nos abrazará? Y aunque tú ni yo lo sabemos, conocemos que Sus decisiones son perfectas. Así es que reconozco su enorme bondad al permitirme haber nacido en una gran familia, para mí, la mejor.

República Dominicana es la nación que vio nacer a mis padres, a mis dos hermanas y a mí. Juntos conformamos un hogar donde Dios, sin duda alguna, tenía el lugar más importante. Éramos una familia pastoral, y como tal, gran parte de nuestro tiempo lo vivimos dentro de la iglesia, lo que personalmente considero uno de los mayores regalos que Dios pudo haberme dado.

Ser hijo de Ramón Green, el pastor de la iglesia, marcó positivamente mi destino y propósito en mi caminar con Dios. Mi figura paternal fue y es la inspiración más cercana para imitar el estilo de vida de alguien que ama al Señor con todo su corazón.

Siempre relacioné mi historia con la del profeta Samuel. Desde el momento en que nací fui separado y dedicado para la obra y el servicio de la casa de Dios. Aunque ser hijo de pastor no garantiza una cercanía especial con Dios, sino la responsabilidad de desarrollar una relación personal con Él, sin embargo, admito que los beneficios de contar con la cobertura pastoral constante y las limitaciones en el comportamiento que vienen adheridas al ser parte de la familia pastoral, traen consigo enseñanzas valiosas.

LA INFLUENCIA DE LA PALABRA

Desde mi niñez, la semilla de la Palabra viva fue sembrada en mi corazón, y aunque en esos momentos, no todo lo entendía, tiempo después pude ver germinar frutos de lo aprendido en mi crianza.

Mi padre Ramón y mi madre María asumieron el compromiso de guiarnos como hijos en el camino de la salvación, haciendo suyo el verso que está en Proverbios 22:6 (RVR 1960): «Instruye al niño en su camino, y aun cuando fuere viejo no se apartará de él».

Tanto mis hermanas como yo hemos sido procesados, guardados y corregidos como hijos amados para transformarnos en hombres y mujeres firmes en nuestra fe. Y por propia experiencia aprendí la importancia de enseñar a los niños en la casa y en la iglesia,

estás en el centro de todas las miradas, y todos en la congregación saben quién eres y esperan lo mejor de ti. Tal presión me hacía pensar que no tenía derecho a fallar.

Ser hijo de pastor significó que no solo mi familia velaba por mí, sino que toda una comunidad de fe vigilaba mis pasos. Con el tiempo, Dios me ayudó a que todo eso no me afectara y a mirar menos lo que otros decían o hacían, y enfocar mi corazón en servir al Señor, amando y sirviendo a todos.

Como ministros, mis padres tenían la presión y el compromiso de mantener su casa en orden con mucha más responsabilidad que cualquier otra familia. Esto no es solo un tema cultural, sino que también la Biblia categoriza a la familia pastoral como el hogar ejemplar, digno de imitar. Esto significaba una gran presión no solo para nosotros, sino también para nuestros padres, quienes entre ellos tenían diferentes perspectivas en cuanto a algunas cosas. Estas terminaron generando ciertos problemas dentro de casa, ya que mi madre visitó otras iglesias identificándose con ciertas formas que entendió eran más cercanas a su pensamiento, a diferencia de mi padre quien manejaba conceptos distintos acerca de cómo debía vivir un cristiano.

A pesar de la madurez y la sabiduría que caracterizaba a mis padres, mi hogar «ejemplar» poco a poco se fue direccionando en otro sentido hasta adentrarse en uno de los procesos más duros que me tocó vivir en mi niñez. El enemigo aprovechó tal situación como la oportunidad para desgastar lo que con tantos años de amor y sacrificio habíamos construido.

Las posiciones firmes de cada uno de mis padres estaban comenzando a fracturar la convivencia familiar, algunas de ellas generadas precisamente por estos altos estándares, y aun cuando todos llevábamos a la iglesia nuestro mejor rostro, en casa estábamos viviendo momentos difíciles.

En un principio, mi papá trataba de defender «las cosas de Dios» prohibiendo los pantalones o algunos cosméticos femeninos, incluso dentro de la casa. Por otra parte, mi madre opinaba que nada de esto ofendía al Señor, y para ese entonces, mi padre quizás no lo entendía. Estos cambios de opiniones causaron una división muy marcada, dejándome en medio de dos pensamientos diferentes acerca de cómo debía ser un cristiano. A pesar de que la iglesia se edificaba fuera de casa, dentro de ella estaba colapsando.

En su ímpetu por defender a Dios, el rol de pastor de mi padre también lo teníamos en casa, y sus pensamientos radicales sobre la corriente moderna, no eran cuestionables. Nuestra posición como hijos no era sencilla ya que además de ser nuestro padre, era nuestro pastor. Generalmente, si tienes un problema en casa, buscas ayuda y consejo con el pastor o tu líder de la iglesia. Si tienes un problema en la iglesia lo conversas en casa con tu papá. En mi caso, ambas posiciones estaban en una misma persona.

Si de algo no tengo duda es del amor que mi padre tiene por Dios. Su pasión por guiarnos en el camino correcto lo hizo ser radical ante cualquier circunstancia que pudiera llegar a perjudicarnos o desviarnos del propósito de Dios. Su sueño era tener una familia perfecta y ejemplar, y sería capaz de ir contra todo para lograrlo. Como buen padre, nos protegió y guardó para el Señor, pero a causa de la firmeza de sus argumentos la situación se hizo cada vez más difícil.

«LA MEJOR GUÍA SOLO PUEDE
VENIR DE UNA ÚNICA Y
EXCLUSIVA CABEZA: ¡CRISTO!»

UNA CASA DE CABEZA

Todos estos diferentes conceptos y confusiones empeoraron la administración del hogar, y de acuerdo con los roles que cumplían mis padres, sumado a su falta de disposición por entenderse, agrandó el conflicto. Resistimos, lloramos y conversamos mucho, pero estábamos en medio de una prueba tan fuerte que solo trajo como consecuencia que mi madre se mudara de casa.

Esto llenó mi corazón de tristeza y a pesar de que guardaba la esperanza de que regresara, esto nunca sucedió. Poco a poco una raíz de amargura y de enojo creció en mi corazón hacia mi padre y hacia Dios. Mi pensamiento de niño debía culpar a alguien por lo que estaba sintiendo, aunque luego entendí que Dios, ni mi padre o mi madre eran culpables.

Sin embargo, la falta que generó mi madre en el hogar le dio cabida a muchos pensamientos negativos, que me llevaron a mirar a mis héroes como los villanos que me habían robado lo que más quería, mi mamá, quien desde siempre fue la persona más cercana a mí.

Aunque ella ya no estaba en la casa, mis hermanas y yo continuábamos bajo las leyes y mandamientos de mi papá. El dolor de ya no tenerla en casa me hacía mirar a mi padre con otros ojos. La amargura fue apoderándose de mi corazón y con el propósito de herirlo hice muchas cosas para molestarlo. Mi mirada de admiración estaba tornándose en un rencor que me cegaba y no me permitía ver las cualidades que antes amaba de él.

Mis actitudes y reacciones empeoraban día a día, y ya ni siquiera salía de mi habitación a compartir la mesa. Pasaba días sin comer y no tenía ninguna conversación con mi papá, a menos que fuera necesario. Mi rebeldía me llevó a dejar de asistir a la iglesia. Mi apatía, asociada al rencor, me empujó a actuar como lo hacía.

Aunque respetaba y creía en Dios, comenzaba a dudar de Sus cualidades de «Padre», pues no sentía la cercanía ni la paternidad de la que todos hablaban, solo percibía un respeto distante. Entendía que Él me cuidaba, pero al mismo tiempo sentía que estaba dispuesto a castigarme si me equivocaba, ese era mi pensamiento. Los días pasaban y el estado emocional que experimentaba me alejaba aún más de Él.

Con mi inmadurez y una enorme rebeldía, mi papá tenía razones suficientes para intentar corregirme, pero una tarde, mientras cenábamos, tuvimos una gran confrontación en la que no vi más opción que correr (literalmente) a donde vivía mi madre. Días después, regresé mientras mi padre no estaba, para recoger mi ropa y mudarme definitivamente con mi mamá. Esta decisión me separó de mis hermanas y lógicamente de mi papá, esto produjo un vacío aún más grande en mi interior.

Hoy, al tener hijos, soy totalmente consciente de que la intención de mi padre al cuidarnos de muchos hábitos del mundo era completamente buena y honesta, pero en ese momento no lograba ver lo que sucedía espiritualmente, sino mis propias frustraciones y heridas.

Tal vez esta historia te ubica en alguna de las dos posiciones, la de padre o la de hijo, y te ayude a que le permitas a Dios que sane tu corazón como lo ha hecho con el mío. No puedo evitar contarte que ahora, como papá, he aprendido que debes acompañar tus palabras de autoridad con oraciones para que tu familia comprenda que los lineamientos bíblicos son más dulces que las tendencias del mundo secular.

Con el pasar de los años entendí que en mi historia no había héroes ni villanos, que el único y verdadero enemigo es el mismo que siempre tuvo la creación, que desde el comienzo intentó desviar el plan de Dios para la familia, que es: educar en amor a sus hijos para que su prioridad sea buscar el rostro de Dios.

A los hombres, padres de familia, les recuerdo que tienen la responsabilidad de ejercer el sacerdocio en sus hogares con amor, sensatez y templanza. Es su obligación hacer de su casa el hogar que Dios y su familia anhela. Es mejor agradar a Dios que hacernos los graciosos con nuestros hijos y creer que es mejor tener una «casa de cabeza». Debemos tener la sensibilidad y paciencia de guiar con amor a nuestros seres queridos.

Compartir contigo esta parte de la historia de mi vida me conmueve una vez más, pues ahora, como adulto comprendo las diferentes circunstancias que expusieron mi noble corazón de niño al dolor del desprendimiento familiar, y también reflexionar sobre un pasado muy lleno de Dios. Él siempre estuvo presente en la boca de quienes me rodearon, en las canciones que cantamos en la sala de casa, en la admiración, la exaltación y la fe de los hermanos de la iglesia, pero mi corazón herido necesitaba un encuentro personal con Él. Necesitaba hallar «el propósito que Dios tenía para mi vida».

Reflexionemos juntos

Si al leer este capítulo te has sentido identificado con tus propias vivencias y aún has revivido parte de tu historia, te invito a que tomes un papel y escribas lo siguiente:

1– *¿Cuáles han sido los momentos de tristeza que has vivido en tu infancia y han quedado grabados en tu corazón? Exprésalo en palabras.*

2– *¿Qué sentimientos despertaron en tu interior estas situaciones mientras las escribías?*

Te invito a que regreses a esos recuerdos de gran dolor y permitas que Dios acaricie tu herida con su mano de amor, y sane tu tristeza. Todos podemos comprender y aún empatizar con tus vivencias, pero el único que puede sanar tus emociones, es Dios. Ponte de rodillas, cuéntale a Él lo que sentiste y pídele que sane cada uno de esos recuerdos. Te aseguro que Él está dispuesto a sanar tus heridas para que luego queden como marcas testimoniales en tu vida, así como quedaron en la mía.

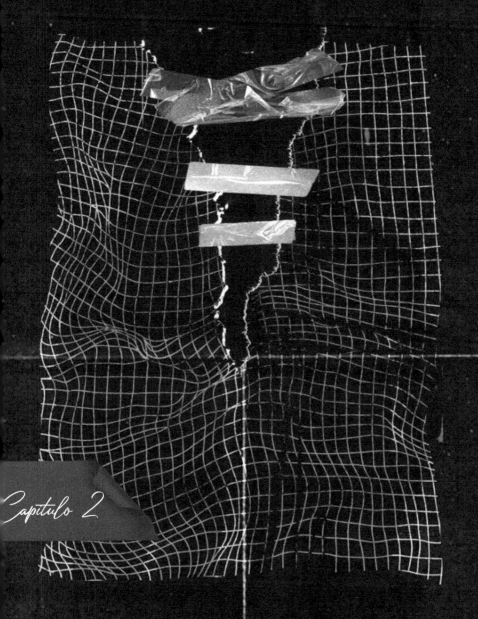

LA IMAGEN DEL PADRE

LA PRIMERA
VIRTUD DE
UN PADRE
ES EL

amor

LA IMAGEN DEL PADRE

CORRIENDO POR LA CALLE; la ira, el dolor y la decepción me empujaban a ir a más velocidad. Mi corazón latía sobresaltado por una mezcla de sentimientos encontrados. La adrenalina de lo vivido, sumado a las lágrimas que empañaban mis ojos, me hizo huir, como si escapara de una tragedia o de una situación difícil. No tuve la oportunidad de recoger mis cosas ni de tomarme unos minutos para despedidas, aun sabiendo que esos serían mis últimos momentos en aquella casa, solo necesitaba salir de allí.

En mi impulsiva adolescencia, después de una ferviente discusión y de algunas palabras casi gritadas, decidí romper humanamente el vínculo de hijo, junto a algunos platos de la cocina que lancé lleno de ira contra el piso. Me alejé de la cobertura de mi hogar y generé un quiebre profundamente doloroso al separarme de una parte del maravilloso equipo que conformábamos desde mi nacimiento, catorce años atrás. Con tal actitud solo demostré que en verdad estaba rompiendo áreas de mi alma y fracturando mi obediencia. Quebrantar los lazos «padre e hijo», que tanto valoraba, me causó mucho daño.

Al llegar a la casa de mi madre, entre la angustia, el cansancio y el dolor, pude desahogar con un fuerte quebranto todo lo que sucedía en mi mente y corazón. Con el paso de los días, los sentimientos de tristeza, pesar y miedo se fueron opacando con el aligerante sentimiento de «libertad», que de alguna manera me hizo pensar que todo estaría bien, cuando realmente dentro de mí había muchas heridas por sanar.

Tomé la misma decisión que mi mamá había tomado poco tiempo antes, y al igual que ella progresivamente me fui adaptando a un nuevo estilo de vida, con una gran diferencia: que en mi mente inmadura y mi etapa transitoria de la adolescencia dejé abiertas brechas del pasado que, de alguna manera, a su tiempo trajeron consecuencias.

Por decisión propia me separé del vínculo paternal, y con el paso del tiempo olvidé lo que se sentía tener una relación de padre e hijo, tanto con mi papá natural como con mi Padre Celestial. Es indispensable para un hijo contar con la figura protectora, de enseñanza y amor que brinda una cobertura paternal.

La necesidad de paternidad que naturalmente sentí como adolescente colaboró a que entrara en un estado de depresión y soledad muy fuerte, y aunque Dios y mi papá siempre estuvieron disponibles para mí, no me atreví a buscarlos. La profunda herida me motivó a buscar a alguien en quién depositar mi confianza, por lo que decidí confiar en mí mismo. A pesar de tener a mi madre cerca, el sentimiento de enojo hizo que desviara mi mirada del propósito de Dios y que perdiera mi identidad, pues ahora ya no tenía la supervisión de un Padre ni de un pastor, solo la de una madre que trabajaba a tiempo completo.

«SI NO HAY AMOR PARA OLVIDAR Y PERDONAR, CAMINAREMOS ROTOS Y LLENOS DE HERIDAS QUE SANAR.»

MI TALENTO, MI ORGULLO

Buscando algo a qué aferrarme me hice amigo de mi propio talento. Descubrí que tenía aptitudes para cantar, y esto me impulsó a dar todo de mí para mejorar esas habilidades y así recibir la admiración y el elogio que llenaría el vacío que había en mi corazón.

Junto con mi madre comenzamos a asistir a una iglesia cerca de casa, yo solo iba para complacerla, pero allí descubrí una oportunidad para mostrar mis destrezas con el canto. El ministerio de alabanza y adoración sería la plataforma donde me rodearía de personas talentosas que me ayudarían a aprender más sobre la vocalización. Sin decir nada a nadie, motivado por una posición en el altar, me enfoqué en practicar y buscar en internet todo lo relacionado al canto. Descargaba programas que tenían que ver con audio, compré un micrófono y usé cientos de pistas instrumentales cristianas para perfeccionar mi voz.

Naturalmente, esas prácticas rindieron sus frutos, pero a la vez, en mi interior crecía un orgullo por el avance conseguido a través de mi esfuerzo personal. Al saber que con mis fuerzas había logrado mejorar, me alejé aún más de Dios, y caí muy bajo al buscar vanagloriarme en mis habilidades. Escribo esto con mucha vergüenza, pero a la vez con total sinceridad para que puedas comprender el proceso que estaba atravesando.

Mi etapa de rebeldía ligada al rencor que sentía me impulsaba a hacer cosas que sabía que no estaban correctas dentro de lo aprendido en casa. Dios siempre me cuidó, y a pesar de que nunca probé alcohol, drogas, ni viví una vida desenfrenada en el mundo, lo que sentía en mi corazón me desvió del destino que mis padres habían planificado para mí: servir con un corazón correcto a Dios todos los días de mi vida (como Samuel).

Desperdicié mucho tiempo participando en festivales, karaokes y compitiendo con amigos talentosos. Debo aclarar que llamo a esto una pérdida de tiempo porque el objetivo para esos días no era exaltar el nombre de Jesucristo, sino adjudicarme una gloria que no me correspondía en ese momento, no me pertenece ahora y nunca me va a pertenecer, puesto que Dios es el único merecedor de la gloria y el honor.

Me gustaba vocalizar notas con altos registros, es decir, subir mucho el tono de las canciones, para provocar en los espectadores un efecto «Wow» e impresionar a todo aquel que pudiera escucharme. Con mi actitud de creerme capaz de poder competir con todos y ganarles, entré en uno de los programas televisivos más importantes *Latin American Idol*, y quedé seleccionado entre los diez finalistas. Participé en el festival *Mi voz para Cristo*, uno de los concursos católicos más relevantes del país, y obtuve el tercer lugar. Así como en el festival *Buscando Adoradores 2006*, un concurso realizado por la Confraternidad Evangélica Conservadora, donde obtuve el primer lugar. Como puedes ver, cruzaba las barreras religiosas y sin importar las creencias, solo me motivaban los aplausos y elogios que recibía.

Muchas veces Dios intentó hablarme en medio de mi rebeldía, pero no le escuché, hasta que un día con su insistente deseo de acercarme hacia Él para mostrarme Su amor paternal, fue más allá.

«DIOS QUIERE RESTAURAR
NUESTRO PASADO,
BENDECIR NUESTRO
PRESENTE Y USARNOS
EN EL FUTURO.»

UNA PALABRA DECLARADA

Una tarde, mientras convencía a mi tía María Cristina para que me ayudara a vender los boletos de la final del último festival, Dios vio el escenario perfecto para restaurar Su imagen de Padre y darme una muestra de Su Presencia en un lenguaje profético que me haría saber que Él estaba ahí conmigo. Inesperadamente, mi tía, con boletos en mano y llena de la autoridad de Dios, me dijo: «Tú vas a concursar y vas a ganar el primer lugar, pero te lo van a quitar. Luego Dios te lo volverá a entregar, y si lo honras solamente a Él, no habrá en la República Dominicana una voz como la tuya». En mi desconectado corazón, no lo entendí, pero al mirarla a los ojos, con un gesto dudoso, le dije: «Lo creo».

Llegó el día y la hora de la gran final y estaba muy emocionado. El auditorio estaba repleto de un gran público. Después de varias horas donde todos cantamos, al fin dirían las posiciones finales de los seis ganadores. Mientras me comía las uñas, los jurados ya tenían un veredicto. Tomaron en sus manos medallas, trofeos y placas, y con mucho entusiasmo y una voz de locutor, el presentador fue anunciando una a una cada posición. Luego de llamar a los primeros dos participantes, mencionaron mi nombre para darme el tercer lugar, y con la placa en mi mano, repentinamente el jurado decidió reubicar las seis posiciones de los finalistas. Al escuchar esto, se aceleró mi corazón por recordar la profecía que había recibido de mi tía y me quedé en ese tenso ambiente expectante de lo que sucedería los próximos minutos, y efectivamente, Dios cumplió Su palabra dándome el primer lugar.

Me sentí feliz con mi logro, pero la mayoría del público no tanto, por lo que hubo mucha gente abucheando y gritando: «¡Fraude! ¡Fraude!». Quedando como si fuera un tramposo ante todos.

Dios entró en la historia demostrándome que Él tenía el control de todo, y que estaba dándome la oportunidad de reconocer que se trataba de Su gracia y Su favor. Que mis méritos y triunfos no me garantizaban el apoyo y la admiración de la gente. Minuciosamente Dios intentaba hacerme entender lo que podía alcanzar si lo honraba y lo que podía seguir viviendo si no aceptaba mi llamado. Se suponía que sentiría satisfacción por lo alcanzado, pero ese final inoportuno tocó mi corazón de la forma menos esperada.

Aún con esta experiencia, mi rebeldía no cesó, seguí nadando contra la corriente. Y a partir de ahí mi búsqueda incesante por ser reconocido, parecía ser frustrada por alguien. La gente me preguntaba: «Robert, ¿ya grabaste? ¿Cuándo sale el álbum que ganaste?». Entonces les respondía: «Estamos cerca, falta poco», pero los engañaba, ya que en realidad desde aquel momento todo empezó a salir mal. Nunca recibí el premio que gané en el concurso: un álbum discográfico. Parecía que alguien acortaba mi soga, como si me acorralara.

Con el paso del tiempo la vida se me hacía más difícil, y junto con mi crecimiento llegaba la exigencia de generar ingresos para colaborar en casa, en el diario vivir. Había dedicado todo mi esfuerzo al canto. Participaba en bodas, cumpleaños, incluso iglesias donde me daban ofrendas, pero la verdad es que lo que recibía no era suficiente comparado al esfuerzo que invertía.

La presión que generaba mi alrededor fue mucha, quienes conocían mi verdadero estado, me sugerían invertir mi tiempo en algo que en verdad me proveyera económicamente, ya que, al parecer, mi insistencia en alcanzar algo grande con mi talento, parecía no tener sentido.

«SOY TU PADRE»

Abandoné la música y me fui a trabajar a un «Cyber» transcribiendo documentos. Llené mis días de trabajo y mis noches de lágrimas por la dura depresión y frustración al verme como un gran fracasado. Las preguntas gritaban en mi interior: «¿Por qué? ¿Por qué a otro sí le sucede y a mí no? ¿Qué pasa conmigo? ¿Qué estoy haciendo mal?».

Ya no tenía motivos que me inspiraran a salir de tal deprimente estado, pues sentía que mi vida carecía de significado. Al tocar fondo, volvió ese deseo de correr sin rumbo, como cuando huía de casa. Dejé de confiar en mí mismo y peor aún, ya no le encontraba propósito a la vida.

Con gran desilusión decidí correr de nuevo y alejarme más y más de casa, pero mientras corría, con la posible opción de actuar a favor de la muerte, sentí repentinamente como si alguien se cruzara en mi camino, y el impacto de un fuerte abrazo me detuvo y me envolvió hasta dejarme sin aliento. Ahí escuché la sublime voz de Dios diciéndome: «Soy tu Padre».

De inmediato se desvanecieron mis sentidos y con un potente grito sentí cómo esas palabras atravesaron lo más profundo de mi alma. Era un amor tan sobrenatural que no pude resistirme y lo único que podía hacer era perderme en sus brazos. En medio de mi quebranto hice la oración más sincera que nunca había hecho y confesé cuánto lo necesitaba y cuán arrepentido estaba de los errores que había cometido. Entonces Dios inició su obra restauradora, permitiendo reencontrarme con Él para comprender, sanar y darle un punto final a la orfandad que abracé desde el momento que me separé de mi papá natural.

Cuando me humillé como un hijo arrepentido entendí que Él no solo estaba pendiente de mis defectos o de aquellas cosas que marchaban mal en mi vida para castigarme, sino que podía, y quería, restaurarme y amarme aún con mis peores errores.

Me detuve a pensar en lo lejos que había corrido de casa y cuántas veces rechacé como un hijo pródigo la gracia accesible de mi Padre que estuvo siempre disponible, y yo, por mi apatía, viví tan distante de Aquel que insistentemente buscaba restaurar Su imagen de Padre en mi corazón.

Él rompió mi esclavitud y, con un fuerte abrazo de amor, me adoptó de nuevo como Su hijo.

«Pues no habéis recibido un espíritu de esclavitud para volver otra vez al temor, sino que habéis recibido un espíritu de adopción como hijos, por el cual clamamos: ¡Abba, Padre!» (Romanos 8:15 RVR 1960)

Esa es nuestra verdadera identidad, somos Sus hijos, Él es nuestro Padre, y nos ama de manera incondicional. La primera virtud de un padre es el amor. Un padre sufre por sus hijos y los disciplina, no con intenciones de maltratarlos sino con el objetivo de dirigirlos hacia lo mejor y no permitir que las vanidades de este mundo los distraigan.

Su amor es infinito. Su amor es insistente. Su amor nos persigue. Su amor nos busca aún en la más densa tempestad. La Palabra dice: «Y después que mi cuerpo se haya descompuesto, ¡todavía en mi cuerpo veré a Dios!» (Job 19:26 RVR 1960). Es decir, cuando estás en lo más hondo de la condición humana, desde ese polvo te levantará el Señor.

Conocer a Dios es como cuando conoces a un amigo nuevo, al principio no tienes la suficiente confianza, pero gradualmente vas afianzando esa relación. Recuerdo que al comienzo mis oraciones eran cortas porque no quería contarle muchas cosas, aun por temor a que me juzgara o rechazara, entonces empecé a orar brevemente diciendo: «Buenas noches, te pido que me protejas y quiero que sepas que te amo».

Fueron pocas, pero significativas las palabras que me llevaron a ser un anónimo para el mundo y un amigo cercano para Dios. Por lo que, al humillar mi alma, comenzaron los días más lindos de restauración, reposición y redirección que me salvaron de un destino de fracaso, incluso de muerte.

Poco a poco mis conversaciones con Dios fueron en aumento, hasta pasar noches completas hablando con Él. Incluso, a veces estaba en la calle y tenía el deseo de llegar a casa para tener ese encuentro con el Señor. Era tan lindo reencontrarme con el Dios que conocí en mi infancia, pero ahora con un mayor e intenso contacto personal. Me hacía feliz estar a su lado. Era hermoso deleitarme en Su Presencia, sentir cómo el Espíritu Santo me abrazaba y sin temor a admitir mis debilidades. Como en una intervención dentro de un quirófano, Dios extirpaba mis debilidades y afinaba mi corazón conforme a Su voluntad. No tenía miedo, porque entendía que ese doctor era mi amigo.

El Señor nos dice que vayamos a Él con todas nuestras cargas, que Él nos hará descansar (Mateo 11:28). Esas cargas son pecados, desilusiones, heridas, rencores, cosas que al pastor no le gustan, que a tu familia no le gusta, pero Cristo te dice que le entregues ese peso que tienes sobre ti y Él aliviará tus espaldas y te dará descanso.

Confieso que mis mayores cargas eran aquellas que yo mismo había decidido llevar sobre mí: El rencor, el ego y la amargura del fracaso. Cargas tan pesadas que no le recomendaría a nadie llevar.

PERDÓN Y RESTAURACIÓN

Conforme me di la oportunidad de crear una relación íntima con mi Padre Celestial, Él se encargó de modificar la última imagen que arrastraba de mi padre natural. A medida que fui perdonándome y sanando las heridas, como hijo pródigo restauré victoriosamente mi relación con mi papá y pastor.

Luego de diez años, le pedí perdón. Entonces supe que, a causa de su amor incondicional, desde el primer día que me fui, me estuvo esperando con los brazos abiertos. Poco a poco nuestra amistad fue creciendo y soltando todo nuestro pasado de dolor nos convertimos en los mejores amigos. A partir de ahí valoro tantas virtudes que amaba y amo de él.

Es maravilloso cuando cambiamos el paradigma religioso de respetar a Dios por las consecuencias, hacia un temor que nos mueve al amor, por lo bondadoso que es para con nosotros. Esa relación íntima nos lleva a la honra y no al miedo.

Podemos abrir la puerta de nuestro corazón a Dios para que entre como un desconocido, y Él se encargará de convertirse en un amigo, un novio, un esposo, un Padre. Solo necesitamos darle a entender que anhelamos una relación con Él.

Dios ha restaurado a ladrones, homosexuales, adictos a las drogas y al alcohol, entre otros. En mi caso particular, Él enderezó mi camino al cambiar mis frustraciones por el gozo de Su Salvación (Salmo 51:12 RVR 1960).

El Dios que debemos aprender a conocer es Aquel que tiene propósito en nuestra vida, que busca restaurarnos, que como un instrumentista está listo para sacar el mejor sonido de nosotros al afinarnos, limpiarnos, cuidarnos y corregir lo que está mal para nuestro bien. Así es Su amor incondicional. Quiere que trabajemos con Él sobre la base de una relación personal y no por medio de las experiencias de otros.

La imagen de mi padre fue totalmente restaurada y me devolvió con ella la identidad de hijo. Finalmente, pude despojarme de mi ego, de mis sueños y mis planes personales para comenzar a buscar el verdadero propósito para el cual fui llamado. Cuando supe escuchar la voz de Dios se me hizo irresistible Su voluntad y me olvidé por completo de mis deseos, y me apasioné plenamente por los de Él.

Todo parecía tomar el rumbo perfecto. Entonces me di cuenta de cuánto tiempo había desperdiciado en mí mismo, por lo que diligentemente quise hacer todo lo que estuviera a mi alcance para acelerar y ejecutar Su plan en mi vida. Sabía bien que no podía hacerlo yo solo, por lo que le pregunté a Dios: «¿Cómo lo haré?». Y Él me respondió: «Con los dones y talentos que yo te he regalado».

Quizás has atravesado una experiencia similar a la mía, y mi relato pone al descubierto tu realidad espiritual. Pero debes saber que Dios tiene muchos regalos preparados para entregarte. Continúa conmigo este viaje y descubrirás los regalos que también ha preparado para ti.

Reflexionemos juntos

La tristeza y el dolor de haber visto a mi madre alejarse de la casa me causaron no solo pesar, sino también rebeldía y falta de perdón. Esto trajo como consecuencia el alejamiento del propósito que Dios tenía para mi vida:

1 – ¿Has albergado sentimientos de rencor hacia aquellas personas que te lastimaron?

2 – ¿Has permitido que la rebeldía manejara tu vida y te guiara por caminos de los cuales hoy descubres que son incorrectos?

3 – ¿Has vivido la incertidumbre de no saber a quién acudir, y la frustración te ha hecho desconfiar de que Dios puede aceptarte de nuevo como Su hijo?

4 – ¿Necesitas perdonar a alguien o sanar una herida del pasado?

Los sentimientos de rencor, odio o falta de perdón son ataduras que no te permiten avanzar y te retienen en lugares infructuosos. Solo los planes de Dios te llevan al destino que te guiará al propósito para el cual fuiste llamado. Como un acto de valentía y con gran convicción, perdona a aquella persona que te ha herido. Pídele también perdón a Dios por haberle dado lugar a la rebeldía en tu corazón, y confiésale tus errores. Él es quien perdona todos nuestros pecados y nos hace libres de toda maldición que produce el resentimiento y la rebeldía. Él nos devuelve la identidad de hijos.

LOS DONES QUE DIOS ME REGALÓ

NUESTRO
TALENTO O
DON NO SON
NUESTRO
llamado.

LOS DONES QUE DIOS ME REGALÓ

AL REENCONTRARME CON DIOS, e intentar recuperar el tiempo perdido, descubrí cosas de Él, que antes no sabía. Me apasioné por darlo a conocer a todos, sin embargo, entendía que además de Su gracia, necesitaría las herramientas que me equiparían para cumplir con Su propósito universal de «ir y hacer discípulos en todas las naciones», enseñándoles a obedecer todas las cosas que nos ha mandado (Mateo 28:19-20); así como descubrir también el llamado individual que Cristo hizo a cada creyente.

Debo reconocer que cuando estaba en la escuela no me iba muy bien en matemáticas. Sin importar cuánto estudiara, mis calificaciones eran muy bajas, así que tuve que pedir el apoyo de una compañera de curso que entendía rápidamente las explicaciones del profesor. Evidentemente, mi talento no estaba en los números, pero eso no significaba que no tuviera alguno.

Posiblemente conoces a grandes pintores como Pablo Picasso o Leonardo Da Vinci, reconocidos por su habilidad para pintar. Ese fue el talento que Dios les otorgó como artistas y lo dedicaron a hacer obras que marcaron la historia en todo el mundo. Sin duda nacieron para eso.

Sin embargo, no siempre se utilizan los talentos para la edificación del Reino de los cielos. Dios nos creó con capacidades naturales para el servicio de unos a otros, aunque el hombre haga uso de esto para otras actividades.

Existe un sinfín de personas virtuosas, como músicos, doctores, físicos, ingenieros, actores, entre otros, celebrados por sus destrezas, que sin importar si son o no cristianos, Dios los ha bendecido con maravillosos talentos. A pesar del mérito que individualmente han obtenido por perfeccionarse, estudiar y adquirir más conocimientos de sus habilidades, sin Dios, no es posible cumplir totalmente el objetivo por el cual Él los diseñó, ya que no alcanzarán el propósito para el cual fueron llamados.

DONES Y TALENTOS

Como hijos de Dios nos hemos puesto muchas limitaciones al desconocer las habilidades, capacidades y destrezas que el Señor nos ha regalado por amor. Su Palabra los llama dones y talentos. Y ambos se definen de la siguiente manera:

• Don: manifestación del Poder de Dios dado a los creyentes para el servicio.

• Talento: especial capacidad intelectual o aptitud que una persona tiene para aprender las cosas con facilidad o para desarrollar con mucha habilidad una actividad.

Al entender estos conceptos nace la pregunta que alguna vez me he hecho y que seguramente tú también: «¿Hay talentos y dones en mí? ¿Cuáles son?».

Podríamos definir los talentos como capacidades naturales o innatas, por ejemplo: el oído musical, la habilidad de servicio, el carisma para el liderazgo o la vocación para una determinada profesión. Mientras que los dones son capacidades sobrenaturales, como profecía, sanidad, fe, entre otros. Estos regalos de Dios, sumados a nuestros talentos, son herramientas usadas para levantar y edificar el Reino de Dios en la tierra.

En 1 Pedro 4:10 dice: «Según cada uno ha recibido un don especial, úselo sirviéndoos los unos a los otros como buenos administradores de la multiforme gracia a Dios» (LBLA).

Llaman mi atención las palabras «cada uno» y «don especial», pues entiendo que Dios en su generosidad dio individualmente dones especiales, únicos y auténticos a cada persona. Sin embargo, este versículo especifica los dones de servicios referidos en Romanos 12: «De manera que, teniendo diferentes dones, según la gracia que nos es dada, si el de profecía, úsese conforme a la medida de la fe; o si de servicio, en servir; o el que enseña, en la enseñanza; el que exhorta, en la exhortación; el que reparte, con liberalidad; el que preside, con solicitud; el que hace misericordia, con alegría» (vv.6-8 RVR 1960).

A diferencia de los dones descritos en 1 Corintios 12, que son todos los posteriores a la llenura del Espíritu Santo: «Pero a cada uno le es dada la manifestación del Espíritu para provecho. Porque a éste es dada por el Espíritu palabra de sabiduría; a otro, palabra de ciencia según el mismo Espíritu; a otro, fe por el mismo Espíritu; y a otro, dones de sanidades por el mismo Espíritu. A otro, el hacer milagros; a otro, profecía; a otro, discernimiento de espíritus; a otro, diversos géneros de lenguas; y a otro, interpretación de lenguas. Pero todas estas cosas las hace uno y el mismo Espíritu, repartiendo a cada uno en particular como Él quiere» (vv.7-11 RVR 1960).

Es maravilloso conocer cada uno de los dones que Dios hizo accesibles para nosotros, por lo que te motivo a estudiarlos detalladamente, pues sé que el Espíritu Santo lo usará para ayudarte a descubrir lo que ya te dio y lo que aun quiere darte.

LA PERSEVERANCIA

No siempre reconocemos a primera vista los dones y talentos que Dios nos regaló, en mi caso personal me hice muchas preguntas antes de descubrirlos. A pesar de que en mi casa siempre canté desde muy pequeño, cuando mi papá nos pedía que entonáramos una canción, al compararme con mis hermanas, yo no era quien mejor lo hacía debido a mi timidez.

Desde niño tuve complejos con mi voz y me aterraba hablar en público. Para ese entonces, me atraía el canto, pero no lo hacía de la mejor manera, por esto, me incliné más por ser el gracioso del grupo y de alguna manera perder la timidez y llamar la atención.

Esto terminó en mi adolescencia, cuando mi madre me confrontó con sus palabras: «Robert, si te gusta cantar, no menosprecies lo que Dios te ha dado ni trates de esconderlo con chistes. Desarrolla ese talento que has recibido, saca lo mejor de esto. Si tienes la voluntad de apasionarte por lo que quieres hacer, nuestro Señor utilizará tu carácter y tus debilidades para glorificarse y vas a aprender a cantar bien. Dios lo hará por medio de tu timidez, y si rechazas tus particularidades y lo que eres, estás rechazando los talentos y dones que Dios te ha dado».

Esto cobró sentido en mí. A partir de ese momento comencé a esforzarme. No lo hacía bien desde el principio, pero me interesé por la música y puse empeño en desarrollar mi talento.

Cerca de mi casa había una iglesia que captaba mi atención, pues cada vez que pasaba por allí veía jóvenes cantando canciones a capela. Al verlos practicar, día a día, empecé a sentir un interés muy intrigante por conocerlos. Con mucha timidez, poco a poco fui acercándome, hasta que un día conocí a uno de sus integrantes, y él, muy amable, me presentó al resto del grupo.

Nos saludamos y partir de ese día visité todas las tardes sus ensayos. Había encontrado personas a las que les gustaba lo mismo que a mí. Me hice amigo de cada uno de los integrantes para aprender de todos ellos, porque tenía mucho interés en desarrollar el talento que Dios me había regalado y que tanto me apasionaba.

Ellos cantaban muy bonito y hacían muy buena armonía cuando interpretaban con una pista de fondo una canción del dueto Israel y Moisés, titulada *El Gólgota*. Veía cómo el líder de ese grupo imprimía pasión en las letras y me motivé a soñar con algún día cantar como ellos. Sin titubeos, luego de escucharlos, los halagué por su canto y con mucha vergüenza le pedí al líder del grupo que me regalara la pista de esa canción. Con esa maravillosa melodía comencé a practicar en mi casa.

Recuerdo que mis tiempos de prácticas eran muy exigentes y durante largas horas trataba de hacerlo cada vez mejor. Anhelaba que, en algún momento, al escucharme, estos amigos me dieran la oportunidad de unirme a ellos. Cada día, cuando iba de camino a los ensayos, miraba al cielo, cerraba mis ojos y le pedía a Dios: «Señor, que hoy me inviten a cantar con ellos».

NO DARSE POR VENCIDO

Cuando el coro comenzaba sus prácticas de hermosas armonías me emocionaba tanto que no podía quedarme callado y desde lejos comenzaba a cantar la canción, tratando de que el líder me escuchara y me pidiera integrarme; pero lo único que logré fue que ellos dejaran de cantar y que me hicieran callar, pues entorpecía lo que ellos hacían.

Cualquier persona se hubiera ofendido con ese trato, pero mi pasión por el canto era más fuerte que mi orgullo, razón por la que redoblé mis esfuerzos para mejorar mi interpretación. Esto hacía que mi talento, poco a poco, se desarrollara.

Entendí que, a pesar de haber sido rechazado, no podía renunciar a lo que me apasionaba, más bien era mi responsabilidad demostrarles que podía estar a la altura de ellos para formar parte del grupo. Es nuestro deber desarrollar y ser buenos administradores de nuestros talentos, y cuando Dios ve que somos apasionados y los hacemos bien, multiplica su gracia sobre lo que nos ha dado.

De acuerdo con la Parábola de los Talentos, un hombre repartió diferentes talentos a sus siervos para que los multiplicaran (Mateo 25:14-30). Aprendí entonces, que Dios (que hace alusión al hombre de la parábola) me dio talentos como su servidor para ser esforzado y demostrarle que valoraba sus regalos, multiplicándolos. Es tu deber hacer lo mismo con lo que has recibido.

Algún tiempo después, fue muy gratificante y di gloria a Dios cuando los muchachos del grupo quedaron sorprendidos por mi evolución en el canto. Ese deseo ferviente que había dentro de mí por hacer las cosas con excelencia para agradar a Dios, sé que fueron provocando que el Padre añadiera de Su gracia en lo que hacía.

Podía sentir el respaldo de Dios en cada lugar que visitaba. Al cantar, el Espíritu Santo me hacía decir cosas sin que lo pensara. Esas palabras que profetizaba eran expresiones de que Dios estaba activando en mí algo más que solo talento, estaba agregando dones, los cuales estaban apagados por mi timidez y mi falta de diligencia.

De nada sirve el talento y la pasión por sí mismas. La disciplina aplicada en cosas en las que no tienes talento ni pasión, no avanzan. El talento, la pasión y la disciplina tienen que conjugarse para servir a los demás, pero más que esto, es el respaldo de Su Espíritu lo que hace que el propósito de Dios verdaderamente nos alcance.

TALENTO VS. LLAMADO

Te aconsejo sobreponerte al rechazo y superar la vergüenza, pues estas te estancan y no te permiten recibir una palabra de parte de Dios para avanzar. Así como un día recibí de mi madre esa motivación que despertó el potencial que el Padre había puesto en mí, hoy te digo que hay talentos y dones que Dios colocó en ti para manifestarse, solo necesitas desarrollarlos. Sin importar qué tan pequeño sea el comienzo, lo que otros digan, ni siquiera lo que tu misma timidez te limite a hacer, Dios te escogió como una pieza importante de Su cuerpo y te dio talentos, no para que los entierres por miedo al qué dirán, sino para que con valentía te atrevas a servir con las habilidades que Él puso en ti.

Atrévete a soñar. Sueña tanto como quieras, siempre y cuando esos sueños vayan de la mano de aquello que sabes hacer bien. Ese talento puesto al servicio de Dios activará los dones, entonces, ese regalo es lo que generará la gracia y el favor que hará que otros conozcan del Señor.

Sueña con desarrollar los talentos y dones que Él ha puesto en ti, pero ten cuidado con enfocarte desmedidamente en ellos, dejando de lado la voluntad de quien te los otorgó. Sé que a todos, desde pequeños, nos han enseñado a luchar por lo que queremos. Tanto en congresos juveniles y en las propias iglesias, nos motivan a esforzarnos diligentemente hasta lograr nuestras metas. Pero diré algo aparentemente contrario a todo eso, y es: No te enfoques demasiado en tus sueños, porque cuando nos aferramos a ellos sin tomar en cuenta la voluntad de Dios, nos podemos equivocar acerca de lo que hemos elegido, según nuestro propio criterio.

¿Cuántas veces como niños soñamos con ser astronautas, bomberos, policías o algún tipo de superhéroe? Todos estos son sueños que quizás la televisión nos hizo desear. Sin embargo, cuando llegamos a cierta edad nos dimos cuenta de que estábamos equivocados y dijimos: «¿Superhéroe? ¿Astronauta? Estos no son sueños que quiero para mí».

Luego, en la adolescencia, seguramente quisimos ser cantantes o estrellas de televisión y nos aferramos a eso, no por el propósito de Dios, sino por seguir el modelo de nuestro artista favorito. Años después dijimos: «Esto es lo que quiero hacer por el resto de mi vida», sin entender que quizás eso no estaba dentro del plan del Padre.

He conocido personas que quieren cantar e invierten años de su vida aprendiendo canto y ejerciendo el ministerio de la música, esperando cumplir «su sueño», sin embargo, nunca encuentran una satisfacción plena, ni ven frutos de su disciplina, pues no le han preguntado a Dios si estos son los deseos de Su corazón. Entonces te preguntarás: «¿Por qué les pasa esto?». A lo que puedo responderte diciendo: «Esos sueños fueron una distracción que les impidió esforzarse en las actividades para las que Dios sí les entregó talentos». Yo me hacía esta pregunta: «¿Ha puesto Dios talento en mí? Y si los tengo de parte del Padre, ¿cuáles son?»

Nuestro talento o don no son nuestro llamado. Nuestro principal llamado es amar a Dios por sobre todas las cosas, tener una relación cercana con Él y obedecer sus mandamientos. Cuando hacemos esto, el servicio con nuestras habilidades es la consecuencia del amor que sentimos por Él. Existen personas que han confundido «el ser» con «el hacer» y piensan que con hacer cosas con sus dones y talentos son cercanos a Dios, mas no se trata de lo que hacemos sino de lo que somos en la intimidad con Él.

Cuando los sueños vienen de Dios no son sueños egoístas, ni tan solo traen satisfacción personal, mucho menos son sueños que quieres hacer por tendencia o moda. Es preciso poner en las manos de Dios, con todo nuestro corazón y esfuerzo, las capacidades conocidas u ocultas que Él ha puesto en nuestra vida, con el firme propósito de desarrollarlas para Su gloria y Su honra. Con humildad y disposición de corazón pregúntale al Padre: «¿En qué te puedo servir?». Y te aseguro que Él te mostrará dónde y cómo es necesario que le sirvas. Una vez que tengas esa respuesta, apóyate en el amor y la pasión que sientes por Él para mejorar y servirlo con la mayor excelencia.

Cuando aprendí esto, mi vida cambió, comencé a ver resultados diferentes en mis esfuerzos. Notaba que mis sueños ya no eran «mis sueños», sino los sueños de Dios manifestados en mí a través de los talentos y dones que me había regalado.

Dios no considerará para el cumplimiento de Sus sueños a personas enfocadas en sus propios méritos, apasionadas por sus propias habilidades, sino que elegirá a aquellas que están dispuestas de todo corazón a desarrollar los dones y talentos que Él les dio para su propia Gloria.

Nuestras habilidades, vocaciones, sueños y deseos, a pesar de que son útiles e importantes para Dios, son perecederos y temporales en esta tierra, es el Espíritu Santo el que le da sentido a lo que hacemos y para qué lo hacemos. Sígueme en la historia y conversemos de lo importante que es tener una comunión permanente y continua con el Espíritu Santo.

Reflexionemos juntos

Muchos piensan que los dones y los talentos son lo mismo, pero como hemos leído en este capítulo, no lo son. Si hoy nos encontráramos a conversar y te hiciera las siguientes preguntas, qué me responderías:

1– *¿Puedes identificar claramente la diferencia entre los dones y los talentos?*

2– *¿Cuáles son los talentos que se destacan en ti y cuáles los dones que Dios te ha dado?*

Para comenzar a caminar hacia el propósito que Dios te ha dado es muy importante identificarlos, ya que Dios los usará para Su propósito. Porque de no saberlo, seguramente te esforzarás por ser lo que no eres. Tampoco pretendas desarrollar un don que no te ha sido dado, ya que probablemente fracasarás. Fortalece y potencia lo que Dios ha establecido para tu vida y te aseguro que cumplirás el llamado que ha sido puesto sobre ti. Ora y pídele a Dios que te ayude a descubrir lo que Él ha depositado en tu vida.

INTIMIDAD CON EL
ESPÍRITU SANTO

Capítulo 4

El *Espíritu Santo* ES UN CABALLERO, SOLO ENTRA DONDE ES BIENVENIDO.

Capítulo 4

INTIMIDAD CON
EL ESPÍRITU SANTO

UNA DE LAS VICTORIAS MÁS SIGNIFICATIVAS de mi vida ocurrió cuando con tan solo 21 años restauré la relación con mi Padre celestial. Esto marcó el fin de aquella depresión que se había instalado en mi mente cuando intenté de muchas maneras ser un cantante reconocido por mis propias fuerzas, sin tomar en cuenta el plan que Dios tenía para mi vida.

Luego de varios meses de transitar el proceso de restauración, una vez finalizado, llegué a la iglesia *Tabernáculo de Adoración*. Poco tiempo después, por pedido de mis pastores Santiago y Norelis Ponciano, empecé a servir en el altar como músico, interpretando con todo mi corazón las alabanzas que poco a poco me llevarían a descubrir lo que Dios tenía en mente desde ese momento en adelante.

En mis primeros pasos como servidor en el altar, podía sentir cuando el Espíritu Santo estaba presente en el lugar, pero no sucedía constantemente. Muchas veces canté porque sabía hacerlo, usando esa gracia que el Señor colocó bajo mi administración. Aunque mi enfoque no estaba en la mejor dirección, Dios era fiel para conmigo derramando sus dones, aun cuando no sentía la llenura de su fuego arder en mi interior al alabarle.

Sin embargo, algo cambió. En la medida en la que estrechaba mi relación con Él y le buscaba con intensidad y un corazón humillado, cosas inusuales comenzaron a suceder mientras ministraba, como, por ejemplo: al cantar lloraba sin explicación, temblaba todo mi cuerpo y sentía la Presencia de Dios muy fuerte sobre mí. En ocasiones me resistí pensando que era algo más emocional que espiritual. Pero con mis ojos cerrados buscaba tranquilizarme por temor a ser mal visto y avergonzado.

Luego de aquella experiencia especial con el Padre mientras corría, creció mi temor por la Presencia de Dios, la reverencia y el respeto por lo que Él mismo significaba para mí. Tenía mucha expectativa de lo que quería hacer conmigo, pero sabía que para completar Su plan necesitaría una experiencia más profunda con el Espíritu Santo.

Con mucho entusiasmo asistía a todos los servicios de la iglesia, cantaba en el coro, veía y escuchaba entre el pueblo las lenguas angélicas que declaraban diversas clases de bendiciones para los presentes y advertían sobre la presencia del Espíritu Santo en aquel lugar, pero en mi caso particular, no sentía nada.

El regalo de tener un encuentro para conocerlo plenamente no se había manifestado en mi vida hasta ese momento, por lo visto, Dios estaba preparando el instante oportuno mientras trabajaba mi corazón con un proceso fundamentado en la búsqueda de Su rostro y la espera para ese momento tan especial.

«NUESTRA RELACIÓN CON EL ESPÍRITU SANTO DEBE CRECER CADA DÍA, NO TAN SOLO PARA RESPETARLO Y HONRARLO SINO PARA AMARLO Y BUSCARLO.»

UNA CITA IMPORTANTE

Un martes en la noche, en uno de nuestros servicios semanales, estaba a punto de suceder algo que trastornaría mis sentidos y renovaría todo mi ser para marcarlo de por vida. Siendo parte del coro de adoración, en unidad con los hermanos, clamábamos y profundizábamos en el Espíritu en medio de la alabanza. Podía ver una manifestación sublime y muy linda del Espíritu Santo moverse en la iglesia, sin embargo, al ver gente caer quebrantada por el mover, mi mente se puso tensa y me puse de rodillas buscando pasar desapercibido entre lo que estaba sucediendo.

En nuestro fluir de proclamar hermosas palabras al Señor, inesperadamente me hicieron una propuesta pública para acceder a algo que en mi mente yo visualizaba de una forma distinta. El predicador invitado de ese día señaló hacia el coro, el cual estaba compuesto por treinta y seis personas. Rápidamente me senté y traté de esconderme, porque tenía pánico de que me llamaran al frente, pero levantó su mano, señaló hacia al coro y dijo: «Ese joven que está allá, que pase al frente». Miré alrededor buscando a alguien más. No podía creer que se estaba refiriendo a mí. «¿A mí?», pregunté. «Sí, ven y pasa», respondió.

Pasé poco dispuesto porque no quería que me manipulara, entonces me dije a mí mismo: «No voy a caer». Anhelaba que cuando el Espíritu Santo me bautizara o hablara en lenguas, ocurriera de manera natural y real, y no forzado, con fingimiento. El predicador me miró a la cara y sus primeras palabras fueron: «Si llamas al Espíritu Santo, Él vendrá».

En algunas oportunidades había visto cómo otras personas manipulaban ese momento de manera subjetiva, y mi padre me había enseñado que ese era un tiempo muy sagrado como para dejarme llevar por la emoción de recibir una imposición de manos. Sin embargo, el predicador me miró a la cara y sin tocarme, ni gritar, ni forzar alguna emoción, solo dejó salir de nuevo sus palabras que fueron: «Si llamas al Espíritu Santo, Él vendrá». Entonces pensé: «De esto es de lo que me había estado cuidando, pero lo haré para complacerlo».

Con mucha timidez empecé a orar diciendo: «Ven, ven, ven… Espíritu Santo», como me había sugerido el predicador.

A pesar de mi predisposición, de repente comencé a sentir un poder extraordinario que invadía todo mi ser y empecé a danzar. ¡Fue algo increíble! Sentí cómo Su manifestación gloriosa rompía mis paradigmas. Ya no me importaba clamar, gritar fuerte y con lágrimas en mis ojos decir: «Ven, Espíritu Santo». Me rodeaba una atmósfera de plena libertad. Estaba convencido de que no era manipulación, sino que el Espíritu Santo me estaba bautizando con nuevas lenguas.

Sentí un gozo que no podía controlar. Danzaba en el altar, batía mis manos, lloraba, hasta que me envolví en una cortina que adornaba la pared. A partir de aquella manifestación del Espíritu Santo, dejé de ser yo, de ponerle obstáculos y limitarlo. Desde ese día, ¡nunca más he sido el mismo!

¡Imagina mi cara de sorprendido! No podía creer lo que me había pasado. En mi interior sentía el prejuicio de que en algún momento fuera empujado por el hombre, pero aun así Él me estaba visitando. Cuando el Espíritu Santo llega, rompe nuestros prejuicios y hace lo que quiere con nosotros. Él había preparado esa hermosa cita para dos. ¡Fue una experiencia tan real! Estar entre sus brazos, dar vueltas y vueltas, ¡fue increíble!

Sentir sus brazos rodeándome me hizo viajar en el tiempo y recordar cuando de pequeño mi padre me tomaba por los brazos y jugaba conmigo dando vueltas en el aire. Era una sensación extrema y hasta algo peligrosa, pero que me gustaba, y aunque tenía miedo a caer, miraba a mi padre a sus ojos y él me decía: «No temas, estás seguro entre mis brazos».

¡Fue tan lindo! Me sentía querido, amado, perdonado. Sentía que me abrazaba tan fuerte, como si Él también hubiera estado esperando ese momento tan romántico y especial. Era como una película de amor, donde una pareja de novios corría el uno por el otro en cámara lenta para darse un abrazo después de diez años sin encontrarse. Así me atrevo a describir que fue ese maravilloso encuentro con el Espíritu Santo. Un abrazo que deseaba fuera eterno, que nada lo detuviera, ni me separara un segundo de Él.

Al llegar a casa, con prisa corrí a mi habitación e incluso olvidé cenar. No dormí en toda la noche. Solo me acosté en la cama y empecé a llorar en mi almohada. Por primera vez en mucho tiempo me sentía mimado. Miraba el techo de mi habitación preguntándome: «¿Qué hice yo para tener este privilegio tan grande?» Cerraba los ojos y buscaba en mi mente cada escena para identificar qué fue lo que hice durante el día para llamar su atención. Supe en ese momento que mi vida era tan importante para el Espíritu Santo como Él lo era para mí.

«EL ESPÍRITU SANTO ES FUERZA, ES PODER, ES LA VOZ DEL PADRE Y EL AMOR DEL HIJO, ES UN AMIGO DEL CIELO QUE SIEMPRE CAMINA CONTIGO.»

MI MEJOR AMIGO

Después de esa hermosa experiencia de haber recibido el bautismo del Espíritu Santo en mi vida, no podía dejar de buscar la forma de agradarle y de verlo obrar en todas las cosas, desde las más pequeñas hasta las más grandes.

Podrá parecer locura, pero todos los días iba hacia el balcón de mi casa a gritarle a cada persona que pasaba por el frente diciéndole: «Sé lleno del Espíritu Santo», esperando ver actuar Su poder, pues, era tanta la llenura que había en mi ser, que me sentía capaz de retar su respaldo y ver que sucediera algo sobrenatural. Nunca sucedió nada, pero de igual forma lo sentía tan cerca, que, aunque mis ojos naturales no le veían, sabía que estaba conmigo.

Hablaba, lloraba, reía y cantaba con Él, le contaba mis debilidades y aun cuando sabía que me acompañaba todo el tiempo, era placentero comentarle cómo me había sentido durante el día.

La lectura de la Biblia se me hizo diferente, ahora era más eficaz, Él me hablaba directamente a través de la Escritura. ¡La sentía viva! Ahora sí entendía en carne propia la similitud que hace Dios de Su Palabra, «más cortante que una espada de dos filos» (Hebreos 4:12), era lo que literalmente sentía en mi cuerpo cuando leía lo que tenía para decirme.

Quería que nunca se fuera de mi vida. Entendía que mantenerlo cerca era mi responsabilidad y hasta el día de hoy hago todo esto con tal de sentirme siempre Su mejor amigo.

Valió la pena haber esperado tanto tiempo para sentir al Espíritu Santo, a pesar de que fueron tantos años caminando sin sentir Su manifestación plena, Dios ya lo había puesto dentro de mí para cuidarme y que fuera un sello como garantía para el cumplimiento de Sus promesas (Efesios 1:13-14)

El texto de Juan 14:16-17 nos dice: «Y yo le pediré al padre, y Él les dará otro consolador para que los acompañe siempre: el espíritu de verdad, a quien el mundo no puede aceptar porque no lo ve ni lo conoce. Pero ustedes si lo conocen, por que vive en ustedes y estará con ustedes» (NVI).

Este versículo se hizo tan real en mi vida que me di cuenta de que no podía recibir lo que desconocía, estuve postergando lo que siempre estuvo accesible para mí, el maravilloso derramar del Espíritu Santo.

¿Cómo es que siempre estuvo en mí, sin embargo, no lo había sentido? Puedo entender que Él prometió estar con nosotros todos los días de nuestra vida y no puede quebrantar Su palabra, pero es nuestro deber provocar que esa relación crezca y que Su manifestación sea continua en nosotros. Esto lo logramos al llamarlo, y hacerle saber constantemente cuánto lo necesitamos.

Él es paciente y espera el momento preciso cuando tu corazón está encendido en fuego por Su Presencia. Muchos cristianos solo lo conocen por nombre, quizás algunos han tenido la oportunidad de sentirlo cerca, otros lo conocen como un viento recio, pero pocos se atreven a conocerlo como amigo o consolador. Quizás has subestimado tener una relación con el Espíritu Santo, yo también lo hice en el pasado, pero quiero que entiendas que sin Él, cantar solo sería cantar, y el talento solo sería talento, mas, su mover en nuestro interior, es lo que le añade el verdadero sentido a nuestro caminar con Dios y lo que genera la activación de nuestros dones para el cumplimiento de su propósito.

¿CÓMO PUEDO ESCUCHAR AL ESPÍRITU SANTO?

Caminar sin el consejo permanente del Espíritu Santo que te guía, consuela y confronta a cada segundo, podría ser peligroso para tu día a día, así que, radicalmente te digo que negarnos a Su compañía nos hace parte de las cosas carnales de este mundo. «Porque el deseo de la carne es contra el Espíritu y el del Espíritu es contra la carne; y éstos se oponen entre sí, para que no hagáis lo que quisiereis» (Gálatas 5:17 RVR 1960). Por lo tanto, si rechazamos Su soplo de vida sobre nosotros, podríamos considerarnos como muertos.

Si le permites hacerse uno contigo y Su amistad crece, podrás prepararte para hacer, ver y sentir cosas que jamás imaginaste. Quizás te preguntes: ¿Cómo puedo escuchar al Espíritu Santo? ¿Cómo puedo recibirlo?

Sencillamente dile: «Ven Espíritu Santo», a cada minuto, en toda circunstancia. Hazlo parte de tus grandes y pequeñas decisiones. Involucra al Espíritu Santo en todo de ti, y hazle preguntas como: ¿Cómo deseas que me vista? ¿Qué debo comer? ¿Qué debo leer? ¿Qué debo estudiar? ¿Qué área de mi vida deseas trabajar? ¿Qué puedo hacer para agradarte cada vez más? Y Él usará cualquier medio disponible para hacerte llegar Sus palabras. Ya sea a través de la Escritura, de un predicador, de un programa de televisión, de una canción, incluso, hasta la voz de tu propia conciencia.

Él es quien con Su perfecta esencia se hace parte de tu diario vivir. Parece sencillo mantenerlo cerca, pero quizás por la costumbre de no haber sido siempre cercanos a Él, podemos cometer el error de descuidarlo.

No seamos de los que solo conocen de lejos al Espíritu Santo y admiran cómo grandes hombres de Dios tienen una relación con

Él, te recuerdo que es necesario para todos nosotros recibirlo. Dios desea tener conexión con todos sus hijos, todos los días y a cada momento. Es hermoso ver milagros, prodigios y maravillas, pero esto no garantiza que estamos teniendo intimidad (espíritu a espíritu) donde se fortalece la comunión perfecta.

El Espíritu Santo no debe ser un extraño en nuestra vida, Él es quien vive en nosotros, conoce hasta los pensamientos más oscuros, Él es la persona ideal con quien puedes desahogar tus más grandes secretos, frustraciones, molestias y todo tipo de pensamientos. Es quien te revela la verdad en los momentos que podrías estar a punto de tomar tus peores decisiones, quien te brinda protección y seguridad, olvidando tu pasado, respaldando tu presente y resguardando tu futuro.

Cuando decides tener una relación con Él, ya no es necesario planificar citas para encontrarse, sino que ahora Él se hace evidente en cada segundo de tu vida. Su amor es irresistible y con pocas conversaciones se convertirá en tu amigo de mayor confianza, con quien hablas todas las noches hasta desvelarte. Él es esa persona a quien no pensarás en fallarle nunca, pues, una vez que lo conozcas entenderás la sensibilidad que lo caracteriza y cuán fácil se puede enfriar la relación si tomamos las decisiones incorrectas. Él es el Consolador, tu Ayudador, el que te revela los deseos del Padre, quien te dará dones, el que sanará tus dolencias. Él es tu mejor amigo. Él es Dios mismo.

El Espíritu Santo tiene tantas cosas que lo definen que un capítulo de este libro no podrá darte a conocer ni siquiera un poco de lo que Él es, por lo tanto, si quieres conocerlo a plenitud, eres tú quien debe provocar Su manifestación en tu vida, y una vez que lo hayas recibido, es tu compromiso mantener esa llama de amor encendida por siempre.

En una relación, son dos partes las que se ponen de acuerdo para mantenerla viva y cuidarla. Debo advertirte que, quizás asistiendo al servicio dominical de la iglesia, Él va a encender la llama en ti, pero es en tu comunión a solas y tu búsqueda constante, que mantendrá ese fuego encendido hasta el siguiente domingo cuando vuelvas a congregarte.

Esto me sucedía a mí, pero una vez que lo experimenté, entendí que ya no estaba dispuesto a esperar años para volver a sentirlo. Reconocí que era más conveniente luchar contra mi propia carne y vencerla a diario a través de mi relación con el Espíritu, que obedecer a mi apatía e impulsos humanos para descuidarlo. Créeme que no hay nada más desagradable que caminar sin Su Presencia.

CONQUISTAR EL CORAZÓN DE DIOS

«Por eso les digo: dejen que el Espíritu Santo los guíe en la vida. Entonces no se dejarán llevar por los impulsos de la naturaleza pecaminosa. La naturaleza pecaminosa desea hacer el mal, que es precisamente lo contrario de lo que quiere el Espíritu. Y el Espíritu nos da deseos que se oponen a lo que desea la naturaleza pecaminosa. Estas dos fuerzas luchan constantemente entre sí» (Gálatas 5:16-17).

Este texto me dio un gran consejo, así como me hizo entender las luchas internas que tenía a diario. Una vez que recibí al Espíritu Santo en mi corazón, tuve que aprender (lo que creía que ya sabía) sobre cómo conquistar el corazón de Dios con mi ministración musical. Este proceso comprendió un largo descubrimiento de madurez que tardó un tiempo prudente.

Ya mis actitudes eran distintas. Tenía menos ínfulas de exhibir lo que poseía, pues conocía las consecuencias de dar la espalda a la gloria que merece el Creador. Aunque admito que sentía a diario la lucha de mi ego con el sacrificio constante de adorar al Señor, mi actitud frente a Dios cambió en forma progresiva. Sentía más fortaleza para vencer en los momentos difíciles a través de la oración, así como también sentía más autoridad y respaldo a la hora de ministrar. Varios meses después, las puertas comenzaron a abrirse a mi favor y de ser miembro del coro comencé a liderar la alabanza en mi congregación.

Querido lector, no hay trucos, recetas o pasos a seguir (según estrategias humanas) para que Dios te use. Todo se trata de olvidarnos de nosotros, vivir en constante comunión y conocerlo íntimamente para verlo glorificarse y manifestarse como quiera.

Insisto, la comunión e intimidad con el Espíritu Santo es responsabilidad tuya y mía, sin fijarnos en la relación de nuestro hermano, pues tal comparación no edifica a nadie, sino que cada persona individualmente debe asegurarse en el compromiso de que su copa esté rebosando en su intimidad.

Nadie puede acercarte a Dios. Muchos pueden mostrártelo, pero solo tú tienes la decisión final de asumir el reto de hacerte uno en intimidad con Él. Tu corazón debe ser un constante altar de adoración a Dios con actitud de humillación, reconociendo su señorío sobre tu vida, con el entendimiento de que fue Él quien te ha redimido del pecado y de la muerte.

Con frecuencia ocurre que en el momento de la adoración y del derramamiento del Espíritu, la apatía puede predisponernos a recibir lo que Dios tiene para nosotros, y si perdemos el foco central, nuestra inmadurez nos lleva a pensar que no experimentamos la Presencia de Dios por culpa del cantante o predicador del culto.

Culpar a un cantante porque no canta las canciones de acuerdo con ciertos gustos, o a un predicador porque sus palabras no se adaptan a ciertos conceptos, puede crear cristianos dependientes de hombres y no de Cristo. Es vital reconocer que nuestra responsabilidad, compromiso y anhelo diario consiste en exaltar al Salvador, sin importar lo que nos rodee.

De la misma forma, cada predicador o cantante, debe considerar la responsabilidad de entrar en comunión con el Espíritu Santo sin culpar a los hermanos porque no griten «amén» con la intensidad que esperan, o recriminar al baterista porque sus redobles no guardan la precisión que tenía en mente.

Nada debe limitar nuestro deseo de conquistar el corazón de Dios a través de la adoración, pues no debemos olvidar que solo Cristo es suficiente para el cumplimiento del propósito para el cual hemos sido llamados, y es Él quien hace que nuestro ministerio tenga impacto positivo y sea de bendición a quienes nos rodean.

La manifestación del Espíritu Santo no siempre irá de acuerdo con nuestra cultura. En ocasiones idealizamos algunos gestos como evidencia de que Él está obrando, como, por ejemplo: el pastor que grita mientras predica, los músicos que elevan el perfil de la percusión y los predicadores que pisan fuerte el escenario.

Y aunque no tengo nada contra estas prácticas, solo pienso que no debemos considerarlas como referencias para diferenciar quienes están llenos del Espíritu Santo y quienes no. Sin importar cómo alguien se mueva sobre el escenario, su vida en lo secreto es lo que determinará el respaldo verdadero que Dios usará para transformar las vidas.

COMUNIÓN PERMANENTE

El Espíritu Santo es un caballero, solo entra donde es bienvenido. Él obra cuando le dejamos obrar y crece cuando nosotros menguamos. Cuando percibía al Espíritu Santo llenando la casa donde adorábamos, lo mejor que podía hacer era dejarlo libre, dirigir la alabanza conforme a lo que me dictaba, postrarme y reconocer que Él gobernaba ese y todos los momentos.

Entendí que de nada me servía creerme muy sabio, preparado y dotado, pues el Señor hace más fácil su trabajo en mí cuando tengo un espíritu humilde y enseñable, mirando el deseo que tengo de parecerme a Él.

Jesús recibió el Espíritu Santo y pudo verse cómo se posó sobre Él en forma de paloma. La Escritura siempre describe la paloma como símbolo de paz, mansedumbre y sencillez. Y es exactamente lo que recibí en mi vida cuando se posó el Espíritu Santo sobre mí. La paz que brinda la seguridad de tenerlo siempre conmigo. La mansedumbre que me obligó a morir a mi carne para que se vivifique cada día más el Espíritu en mí y la sencillez, que con solo decir: «Ven», Él es capaz de estremecer cada célula de mi cuerpo al derramarse con tanto poder y a la vez tanto amor.

Me identifico tanto con esa manifestación del Espíritu, que me atrevo a decir que desde que Él se derramó sobre mi vida, mis pasos ya no fueron los mismos, sino que aprendí a andar con la sutileza de alguien que camina con una paloma posada sobre su hombro. Cada uno de mis movimientos, decisiones, pensamientos y acciones, ahora las medito con la mayor delicadeza, con el único propósito de que ningún error la haga alejarse de mí. Esta es mi responsabilidad para siempre.

¿Te atreverías a asumir el desafío de caminar el resto de tus días descubriendo el poder, la paz, el consuelo, la amistad y la hermosura de quien está deseando tener una conexión permanente contigo?

Cierra la puerta de tu habitación, y cántale con todas tus fuerzas: «Ven, ven, ven… Espíritu Santo, ven».

Reflexionemos juntos

La búsqueda del Espíritu Santo ha sido una de las experiencias más significativas de mi vida y deseo que también sea la tuya. Sentir su toque abrazador produjo un cambio transformador en mi vida devocional. Recibir el bautismo del Espíritu Santo cambió radicalmente mi espiritualidad, y es desde esa experiencia que te animo a iniciar esa misma búsqueda en tu intimidad.

1– ¿*Has experimentado la llenura del Espíritu Santo? Revive ahora esa misma experiencia.*

2– ¿*Anhelas recibir lo que la Biblia enseña en el libro de los Hechos capítulo 1, como la «Promesa del Espíritu Santo»?*

Si anhelas tener un encuentro especial y único con el Espíritu Santo, solo debes pedírselo, cierra la puerta de tu habitación, busca la canción «Ven Espíritu Santo», deja el libro por unos minutos y hazla tu oración. Cántala y pídele Su visitación sobre tu vida. Dios obrará sobrenaturalmente en ti y nunca más olvidarás tal vivencia. Recuerda: «Si llamas al Espíritu Santo, Él vendrá».

¡Dios tiene sueños más

GRANDES!

Capítulo 5

EL PROCESO
TIENE PROPÓSITO:
«HACERNOS DEPENDIENTES
ABSOLUTOS DE LA
voluntad de Dios»

¡DIOS TIENE SUEÑOS MÁS GRANDES!

LA LLENURA DEL ESPÍRITU SANTO avivó áreas de mi vida que antes desconocía. La pasión y entrega en nuestra comunión cada día se hacía mayor, en la medida en la que experimentaba un cambio de mente (Romanos 12:2).

Considero que hasta el día de hoy ese encuentro fue el que cambió por completo mi lamento en baile (Salmo 30:11), así como llevó a otro nivel mis momentos de alabanza y adoración, ya que abría mi boca con el pleno entendimiento de lo que es y representa el Espíritu Santo.

Sin embargo, al recibirlo, mis lecciones espirituales estaban lejos de terminar, y en efecto, no concluyen mientras Dios nos mantenga en este mundo, aun así, había algo grande que el Señor quería entregarme, pero antes debía atravesar ciertas circunstancias que me darían la madurez para recibirlo.

Previamente a que un gran ministerio pueda recibir grandes bendiciones de parte del Señor, pasará por caminos de enseñanza donde obtendrá la madurez necesaria para crecer mediante la espera y la fe.

Quizás me has conocido por el ministerio con el cual Dios me llamó, pero ahora quiero contarte la historia de cómo comenzó todo y cómo el Señor trabajó conmigo antes de pertenecer a la agrupación Barak.

EL PROCESO TIENE PROPÓSITO

La Palabra en la tercera carta de Juan capítulo 1, verso 2, nos alienta de forma directa: «Amado, yo deseo que tú seas prosperado en todas las cosas, y que tengas salud, así como prospera tu alma» (RVR 1960).

El deseo de Dios es prosperarnos, no solo financieramente, sino en todas las áreas. Ahora bien, para que eso ocurra primero debemos atravesar un proceso hacia el propósito final, ya que es necesario verificar si tenemos la entereza espiritual para administrar lo que se nos ha puesto entre manos. Tal como le pasó a uno de mis personajes favoritos de la Escritura: José (Génesis 37).

Dios le dio a José grandes sueños, pero antes de que pudiera verlos cumplidos pasó por momentos muy difíciles. El propósito era revelarle la realidad y el plan que el Señor había preparado para su vida. Sin embargo, a pesar de lo que le fue mostrado, tuvo que transitar situaciones donde el panorama no se parecía en nada a Su promesa, causando que quizás sus grandes sueños se volvieran pequeños, según lo que sus ojos naturales veían.

Imagina a José al ver sus sueños frustrados, llorando de impotencia, sin entender la razón del porqué atravesaba esos tiempos tan difíciles. ¿Te has sentido hundido hasta el punto donde ves muy lejano el cumplimiento de tus sueños? Si tu respuesta es sí, quizás comprendas un poco los sentimientos encontrados que sentía José.

Durante años, este hombre de Dios pasó de una prueba a otra.

Estuvo en lo profundo de una cisterna; fue vendido; corrió por su vida; fue encarcelado por la calumnia de un crimen que no cometió; pasó por muchos males siendo inocente. El carácter de José tenía que ser fortalecido, pues necesitaba ser procesado para ser instrumento de bendición en manos del Dios vivo.

Al pasar los años, José comprendió el plan de Dios por medio de sus pruebas. Luego de todo lo que sus hermanos le habían hecho, José les dijo: «Yo soy José vuestro hermano, el que vendisteis para Egipto» (Génesis 45:4). José reveló su identidad ante sus hermanos después de que el Señor lo había prosperado en gran manera, y les aclaró que el mal que Dios permitió había favorecido su madurez y su carácter, llevándolo a una gran posición que sirvió para salvación de distintos pueblos. Así como él, nosotros también debemos comprender el sentido y propósito de nuestras vicisitudes.

¿Quieres tener el respaldo de Dios como lo tuvo José, pasar de situaciones difíciles a una posición de bendición y reconocimiento? Es comprensible, aprendemos en los caminos del Señor a pedir lo mejor. Pero ¿estarías dispuesto a pagar el precio? Esa es otra parte de la historia. Ser esclavo y presidiario no parece divertido, sin embargo, en esas circunstancias tan difíciles, el Padre siempre tiene propósito.

Soñar con crecer, desarrollarnos y multiplicarnos es una aspiración legítima que Dios respalda, y hasta la fomenta. «Esfuérzate y sé valiente, porque tú serás quien reparta a este pueblo, como herencia, la tierra que juré a sus padres que les daría» (Josué 1:6 RVC).

Soñar es bueno, pero siempre lleva una contraparte, las obras. Las Escrituras declaran que «la fe sin obra es muerta» (Santiago 2:14). Dios desea que seamos lo suficientemente valientes y diligentes como para ir por nuestros sueños en cualquier ámbito de la vida: personal, espiritual, familiar, ministerial, económico, entre otros. Su intención es ayudarnos en esto y acrecentar nuestros sueños para cumplir con pasión Su voluntad, que es perfecta.

Me identifico mucho con el proceso que vivió José, pues como él, pasé por múltiples desafíos, aunque de formas diferentes. Todos los comienzos son difíciles, en especial para los servidores de la música cristiana. Son grandes cantidades de tiempo invertido en composición, grabación y ensayos, sin que al principio esto sea retribuido económicamente conforme a las necesidades de una persona.

UNA DECISIÓN DIFÍCIL

En mis inicios, luego de casi seis años de noviazgo y de conseguir un nuevo trabajo posterior al del ciber, me casé con la muchacha más inteligente y dulce que conocí. Ana, una mujer de Dios, paciente y que el Señor ha usado para impulsarme al lugar donde estoy. Siempre ha sido mi sueño darle todo lo que una reina merece, porque ella es mi reina.

En nuestros primeros días como familia todo iba de maravilla. Todo era felicidad. Económicamente nos iba bien y ganaba lo suficiente para sustentar nuestro hogar. Al año de casados nuestro amor se extendió con el nacimiento de nuestra hija Amy, sin duda, tenerlas a las dos era un sueño cumplido.

A pesar de esto, a tan solo tres meses de haber nacido la pequeña, comenzaron a ocurrir situaciones que me hicieron sentir como José. Estas circunstancias me hacían sentir hundido en un pozo. Me quedé sin empleo y a mi esposa le habían aprobado los documentos de residencia para vivir en los Estados Unidos. En un corto lapso todo se complicó.

Asistimos a la cita en el Consulado estadounidense para completar todos los documentos de Ana y nuestra hija Amy. Pero para nuestra sorpresa, a la niña le negaron el permiso para viajar con su mamá. Imagina nuestro rostro ante tal noticia. Lloramos amargamente, pues lo lógico era que salieran los documentos de la niña juntos con los de su mamá. Parecía que nuestros sueños se deshacían por la incertidumbre. Además, la necesidad económica se hacía más grande, a pesar de mi incansable búsqueda de empleo.

Buscamos consejo porque teníamos que tomar una decisión muy difícil y apresurada. Mi desafío fue convencer a Ana de que depositara en mí su confianza de dejar la niña a mi entero cuidado, a lo que ella se negaba rotundamente. Ana no quería viajar a los Estados Unidos dejándome solo. Por su lado, ella trataba de convencerme de que teníamos oportunidades de desarrollo en República Dominicana, pero para ser honesto, yo veía más conveniente que ella terminara su proceso de residencia en los Estados Unidos, puesto que hasta ese momento ya nos habíamos esforzado demasiado en estabilizarnos económicamente, sin resultados. Parecía que todas las puertas estuvieran cerradas y no se vislumbraba salida.

Buscando una última alternativa, mi esposa Ana y yo salimos a repartir hojas de vida, currículums de experiencias laborales. Desesperadamente le pedíamos al Señor que hiciera algo. Sin embargo, nunca nos llamaron.

Después de orar, tuvimos paz en el corazón, nos resignamos y como pareja acordamos un plan que consistía en que ella viajara y luego solicitara mi residencia desde aquel país. Con nuestros corazones desgarrados de dolor decidimos por la opción más viable para nuestro futuro. Al final de cuentas era la única puerta que no se había cerrado, por lo que decidimos aferrarnos a la voluntad de Dios.

Mientras lloraba en el aeropuerto, mi esposa, con dolor en su corazón y esperanzas de conseguir un mejor futuro para toda la familia, pasó por el umbral de la terminal que le correspondía. Y con muchos sentimientos encontrados, dijimos: «Dios tiene el control de nuestra familia y no nos dejará en vergüenza».

Nuestra pequeña de tres meses y yo, quedamos en República Dominicana. Con grandes temores e incertidumbre me hice responsable de esa situación. No me sentía preparado para quedarme solo y hacerme cargo de mi hija, ¡no lo estaba! Tenía miedo de que le faltara alimento o se enfermara, pero mi mayor temor era el de no ser un buen padre.

Al ver salir por la puerta del aeropuerto al amor de mi vida, con lágrimas en los ojos me repetí constantemente que era una separación temporal, intentando buscar alivio en ese pensamiento. Sin embargo, luchaba con la tristeza que me generaba pensar que Amy pudiera sufrir como yo, al pasar por lo mismo que pasé en mi niñez, cuando tuve que separarme de mi madre.

Estaba destrozado, me sentía impotente. Quería estar fortalecido, pero me era imposible. Me preguntaba: ¿Señor, acaso permitirás la separación definitiva de mi familia? Obteniendo como respuesta una suave brisa que me susurró al oído: «Solo espera en mí». Esta respuesta era una promesa a la que aferrarme, por lo que con valentía encaré mi situación.

A pesar de mi firme posición, ¡qué difícil eran los días! ¡Cuán largos me parecían! Mientras me acostumbraba a mi nueva «normalidad», estuve tres años criando a mi niña y manejando sus cuestionamientos sobre las razones por las cuales «mami no está aquí». Así como también explicando reiteradamente a mis seres queridos la justificación de que mi esposa no estuviera presente criando a su pequeña. Como si fuera poco, estar con el corazón a medias y viviendo como padre soltero, tuve que defender el honor de mi esposa frente a quienes querían hacerme sentir miserable y solo.

Sin importar las críticas, nosotros tres y Dios supimos el sacrificio que hicimos al mantener un hogar a pesar de la distancia. No pasaba un día sin que Ana se comunicara por teléfono conmigo para saber de nuestra hija.

En ese momento no podía entender qué quería enseñarnos Dios con todo esto. Mi esposa nos enviaba remesas todas las semanas, y yo trataba de presupuestar ese dinero de la mejor forma, pero todo se gastaba en las necesidades de la niña. Pasé meses sin comprar ropa para mí, incluso llegué a andar con los zapatos rotos y a vestir con el mismo pantalón y camisa durante un largo tiempo para ir a la iglesia cada domingo.

En mi habitación, mientras cuidaba a nuestra niña, en medio de nuestra peor crisis económica, cantaba alabanzas, adoraba a Dios y declaraba que tiempos mejores estaban por venir.

Varias personas me miraban como un vago y me decían que no hacía ningún esfuerzo por trabajar. Podría imaginar que esto era el resultado de la imagen que culturalmente el hombre tiene dentro de casa, pero realmente pocos valoraban lo que sí hacía, como era dar todo de mí y ocupar mi rol de papá y mamá a tiempo completo.

Ahora puedo entender que Dios estaba trabajando con mi carácter a través de mi hija. Yo era muy rápido y no tenía paciencia, pero tuve que ser paciente y calmado, y poco a poco aprender a peinarla, a cambiarle los pañales y la ropa.

Con mi niña en brazos y mi bolso de cuidado de bebé, cada semana iba con ferviente devoción a buscar el rostro de Dios a mi iglesia *Tabernáculo de Adoración*, lo que me favoreció delante del Señor y agregó gracia a mi vida, aún en lo profundo del pozo.

MI SUEÑO COMENZABA A CUMPLIRSE

Allí conocí a mis amigos de Barak y lo recuerdo como ayer. Ellos ya eran un grupo consolidado con otra vocalista principal. Antes de hacernos amigos, nuestro primer relacionamiento fue como miembros del ministerio de alabanza en la iglesia. Ángelo Frilop era el codirector del ministerio de alabanza junto con David Nolasco y Janiel Ponciano, el bajista. Como líderes me hacían sentir en casa dentro de la iglesia, así como el coro se convirtió en parte de mi familia.

Me hice gran amigo de Ángelo, quien, al percibir mi talento para cantar, un día me ofreció trabajo en su estudio de grabación dirigiendo voces. Mi respuesta fue automática: «Por supuesto que sí».

Cuando entré a su estudio quedé impresionado al ver todos los equipos que siempre soñé tener. Al estar tan hundido en la dura crisis que me rodeaba, en medio de tanta oscuridad, allí podía ver una luz para mi vida artística.

Si te mueves conforme a Su propósito, nuestro Padre pondrá en tu camino a las personas adecuadas para superar el proceso. Así como José tuvo un compañero de prisión que lo recomendó con Faraón y fue el instrumento de Dios para que saliera del pozo, Ángelo fue el canal de bendición que Dios utilizó para yo poder salir de ese proceso tan difícil.

Puedes estar en el hoyo, sin empleo y quizás no veas salida, no obstante, debes seguir moviéndote en fe. Durante meses había estado dirigiendo voces, pero entendí que no podía quedarme estático, sino que mi deber era ser esforzado y valiente para poder avanzar.

Por lo que un día me dirigí al estudio lleno de valentía; y lo que sería una jornada cualquiera, yo la aproveché para romper el silencio. Le pregunté a Ángelo cuál sería el costo de los honorarios para grabar un demo. Sabía que Dios podía hacer algo grande conmigo, pero no estaba dispuesto a esperar que las cosas sucedieran de la nada, sino que actué en fe provocando que ocurrieran. Pude quedarme callado y seguir conforme dirigiendo voces, pero he aprendido que a veces debemos movernos de nuestra zona de confort para provocar que Dios se active en nuestra vida.

Ángelo, sorprendido, solo me preguntó cómo podría costearlo (pues conocía mi situación). Entonces le respondí que en ese momento no tenía para pagarle, pero, aunque tuviera que reunir el dinero entre toda mi familia, encontraría la forma de hacerlo. Él confió en mí y me dijo: «Pues hagamos esa canción».

Ya había compuesto un tema titulado «Estoy confiado», y recuerdo cantarla muchas veces con la guitarra frente a mi ventana. Ella me motivaba a no desmayar y a esperar en Dios, y aunque no supiera cuándo ni cómo, sus promesas se cumplirían en mi vida.

Después de grabar este tema, recibí una llamada de Ángelo, que estaba en el extranjero, y me contó que mientras escuchaba esa canción Dios puso en su corazón hacer un disco completo. Semanas después, llegó a nuestro país muy entusiasmado y, junto a su esposa Raquel, me propusieron empezar la grabación del álbum.

En mi inmensa gratitud sentí la confirmación de que Dios comenzaba a abrirme puertas. Durante varios meses trabajamos mucho y noté la Presencia de Dios en cada canción, tales como: «Ven Espíritu Santo» y «Todo va a estar bien», que ya estaban listas para lo que sería mi primer álbum «Nunca como ayer», de Robert Green.

Después de un largo tiempo de grabación, faltando los toques finales (mezcla y máster), sin razón aparente hubo un retraso. Dios parecía nuevamente estar moviendo fichas y lo que debió lograrse en pocos días, se alargó por varios meses. A pesar de poner todo el empeño y entereza constante para terminar el proyecto, Dios parecía tener otros planes.

En la espera de la finalización de mi disco, el Ministerio Barak se quedó sin vocalista principal. Entonces, Dios puso en el corazón de Ángelo invitarme a formar parte del grupo. Mi respuesta inmediata fue negativa, pues ya estaba casi finalizado el proyecto que habíamos comenzado, pero él me recomendó que no tomara una decisión apresurada, sino que lo consultara a Dios en oración.

Me fui pensativo y en mi interior no rechacé por completo su propuesta. Lo cierto es que mi sueño era ser solista y siempre fue así. Busqué consejos y orientación con mi mamá y ella me respondió que lanzar mi álbum como Robert Green era lo que siempre ella había querido para mí. Luego consulté a mi esposa y ella no vio en qué me beneficiaría entrar a un grupo, prefería que continuara mi visión como solista. Sin duda querían protegerme de cualquier decepción, pero yo, con la balanza en contra de aceptar la propuesta de Barak, debía tomar una decisión.

A pesar de tener muchos argumentos para decidir continuar con mi proyecto personal, tenía una inquietud profunda en mi corazón. Sabía que debía consultar con Dios antes de darle a Ángelo una respuesta definitiva. Por eso busqué Su rostro en oración, incluso oraba con mi esposa a través del teléfono buscando esa respuesta.

Así que, en medio de esas oraciones, Dios lo confirmó. Sus caminos estaban diseñados para que yo entrara al ministerio Barak y su Espíritu nos confirmaba que no era yo, ni era el grupo, sino que era Él quien tenía un sueño por cumplir, haciendo ver que no debíamos poner nuestra mirada en títulos humanos, sino en el deseo de Su corazón. A fin de cuentas, Él había prometido bendecirnos y lo haría en cualquier posición en la que estuviéramos. No entendía para nada lo que estaba pasando, pero decidí obedecer.

Al tomar esta decisión, inmediatamente las cosas cambiaron radicalmente y Dios movió sus fichas para mostrar su favor con mi familia. Mi hija Amy recibió su visa americana para reunirse de nuevo con su mami, y a pesar de que fue doloroso para mí desprenderme después de tres años de mi habitual vida de papá, entendía que para Dios era necesario hacerlo, pues Él conocía lo que se aproximaba al ser parte del grupo Barak en los próximos días.

A veces da la impresión de que el Señor destruye los sueños que Él mismo construyó, pero Dios es experto en edificar los sueños que más te bendicen a ti y a mí, sin importar cuáles sean nuestras aspiraciones. Él nos lo dice claramente: «Porque yo sé los pensamientos que tengo acerca de vosotros, dice Jehová, pensamientos de paz, y no de mal, para daros el fin que esperáis» (Jeremías 29:11 RVR 1960).

«DIOS ES EXPERTO EN EDIFICAR LOS SUEÑOS QUE MÁS TE BENDICEN, SIN IMPORTAR CUÁLES SEAN TUS ASPIRACIONES.»

BARAK

Luego de tomar la decisión de pertenecer al ministerio Barak, Dios mismo comenzó a abrir todas las puertas. Nuestras canciones encontraron gracia en las emisoras radiales e iglesias, y nuestra música se expandió de una forma sobrenatural por todo el mundo. Fueron cientos los testimonios que recibimos de lo que el Señor hacía a través de nuestra alabanza.

El cambio radical en mi historia me hizo verme en la posición de José nuevamente, pero ahora desde la perspectiva de quien estaba siendo bendecido, así como este hombre halló gracia con el rey y se posicionó rápidamente en un alto cargo. Pude ver cómo Dios, con sus abundantes bendiciones me confió un lugar muy importante dentro de su Reino, para mostrarlo a todo el mundo.

Empezamos a viajar por el interior de República Dominicana y el reconocimiento de lo que hacíamos atrajo voluntariamente cientos de invitaciones a otros países, por lo que luego de ir tantas veces al Consulado estadounidense en Santo Domingo y ser rechazado, Dios me concedió mi primera visa de trabajo para ir de gira a ese país. Mi primer viaje internacional. ¡Qué asombroso lo que el Señor estaba haciendo!

Sentía una inigualable paz y tranquilidad. Me deleitaba en confiar en Dios, aquel que me había prometido que, si era capaz de confiar plenamente en Él, me bendeciría. Fueron muchos años de espera, decepciones, rechazos y hasta en varias ocasiones dudé de que esto pudiera pasar, pero nuestro Padre no olvida lo que ha prometido: «Pacientemente esperé a Jehová, y se inclinó a mí, y oyó mi clamor. Y me hizo sacar del pozo de la desesperación, del lodo cenagoso; Puso mis pies sobre peña, y enderezó mis pasos. Puso luego en mi boca cántico nuevo, alabanza a nuestro Dios. Verán esto muchos, y temerán, Y confiarán en Jehová» (Salmo 40:1-3 RVR 1960). Aun escribiendo estas líneas, me parece irreal el trayecto de tantos altos y bajos que crucé hasta lograr vivir en carne propia lo que durante tanto tiempo solo sucedía en mi mente soñadora.

Por primera vez salí de mi país, fui a los Estados Unidos para ver cumplida una de mis promesas más esperadas, oradas y anheladas: Reunirme con mi familia luego de cuatro años de angustia y lágrimas, por no poder estar juntos. Al año de haberse ido mi hija con mi esposa, no solo pude reunirme con ellas otra vez, sino que a través de las bendiciones que Dios seguía añadiendo a mi vida, nuestra familia continuó creciendo, regalándonos dos hijos más, Jayden y Dylan, quienes agregaron aun mayor alegría antes de mudarnos a vivir por primera vez juntos en la República Dominicana.

Si nos esforzamos en hacer las cosas en beneficio de nuestros propios deseos, dejando a Dios de lado, las puertas que Él quiere abrir quedarán cerradas. Podemos darle vuelta al cerrojo, empujar, tratar de romperlo y no pasará nada, más si el Señor da la orden, esa puerta se abrirá. Lo he vivido.

Quizás nuestra limitada mente nunca logrará imaginar la magnitud gigantesca del mejor plan que el Padre tiene para nosotros. Si mis pequeños sueños comparados a los de Dios me hubiesen motivado a decidir por ellos, quizás no hubiese recibido todo lo que Él me entregó por causa de mi obediencia. No me jacto de mis logros, sino de Su divina intervención cada vez que, en mi desafiante espera, Él aparecía con su suave brisa diciendo: «Solo espera en mí».

Sé que Dios no ha terminado conmigo, que su proceso sigue en mi vida y también Sus planes para mi futuro. Aprendí a caminar sobre sus pisadas, las cuales me guiarán hacia donde Él decida y cómo Él quiera. Aprendí a no guiarme por mi voluntad sino por la Suya. Si hay algo que quiero que recuerdes en los próximos diez o veinte años es esto: ¡Dios tiene sueños más grandes que los nuestros!

Dios es experto en reconstruirnos cuando estamos destrozados, como buen alfarero Él nos da forma para ser una vasija donde su gloria sea vertida y llevarnos a lugares donde jamás pensamos llegar.

A veces Dios pide sacrificios grandes, como pasó con Abraham; dejar su tierra y parentela y sacrificar su hijo Isaac. Al igual que Abraham, tuve que hacer sacrificios, pues yo no quería que mi familia se separara, tampoco quería dejar mi carrera de solista, pero a veces hay que hacer abandonos personales, para mostrarle a Dios con nuestra actitud que caminamos bajo Su voluntad y no bajo la nuestra.

La Biblia tiene registros de hombres que abandonaron la promesa divina por las promesas humanas, y terminaron mal. También aparecen personas que sin importar lo que los humanos dijeran, creyeron la promesa y alcanzaron la gloria de Dios. Aferrémonos a la promesa de Dios, porque sin falta llegarán.

Hoy, al mirar hacia atrás, reconozco que fui atravesado por el proceso. Ahora puedo contarlo y entenderlo. Dios usó mis momentos difíciles para enseñarme a depender de Él. Ese sacrificio es lo que nos hace dar gracias a Dios siempre, en cualquier circunstancia. Esos momentos de soledad, donde no tenía empleo, ni mi familia estaba conmigo, me ayudaron a acercarme más a Dios y a esperar en Él. Aprendí que sus pensamientos no son mis pensamientos y que su tiempo no es igual a mi tiempo. «Porque mis pensamientos no son vuestros pensamientos, ni vuestros caminos mis caminos, dijo Jehová. Como son más altos los cielos que la tierra, así son mis caminos más altos que vuestros caminos, y mis pensamientos más que vuestros pensamientos» (Isaías 55:8-9 RVR 1960)

La mente de Dios es incomparable. Si de nosotros dependiera decidir lo que nos suceda, decidiríamos siempre por lo fácil, lo rápido y lo que nos gusta y no nos duele, pero Dios no trabaja como nosotros, pues Él es Supremo y Soberano. Cuando Su voluntad interviene en nuestra vida, aunque no la entendamos, siempre nos ayuda a bien.

Nuestros sueños siempre tendrán un techo o barrera que le colocamos por nuestra incredulidad al pensar que no somos capaces, sin embargo, Él nos vio desde antes de la fundación del mundo y nos conoce incluso mejor que nosotros mismos. Él sabe el potencial que hay en cada corazón para llevar a cabo sus sueños, que son inmensamente superiores a los nuestros.

El proceso tiene propósito: «Hacernos dependientes absolutos de la voluntad de Dios».

Aunque estés en medio de la prueba, da gracias, porque después de atravesar duras circunstancias podrás, como José, ver el cumplimiento del gran sueño que Dios te mostró.

¡Wao! Ya conoces bastante de mí hasta este punto del libro. He desnudado mi corazón para que mi testimonio pueda servirte de inspiración y te atrevas a darle la oportunidad a que nuestro Creador, Aquel que te vio desde que estabas en el vientre de tu madre, cumpla los planes que diseñó especialmente para ti.

Reflexionemos juntos

Evalúa las siguientes preguntas de manera personal y califícalas del 1 al 10 (Considera el 10 como el mayor puntaje) tomando en cuenta qué tan enlazados están tus sueños a los de Dios. ¡Sé honesto!

1 – ¿Te ha pedido Dios algo que te cueste entregarle?

2 – ¿Qué tan dispuesto estarías a renunciar a un sueño personal por cumplir el sueño de Dios para ti?

3 – ¿Estarías dispuesto a poner tus sueños en manos de Dios, aunque su plan sea muy diferente a lo que has soñado?

Dios desea animarte y desafiarte a crecer, pero necesitamos de su guía, ya que sus sueños son aun mayores que los tuyos, por lo tanto, te llevará por los caminos correctos, aunque al inicio parezca que Dios se equivocó o estaba distraído. El proceso hacia el propósito no es sencillo, pero es asombroso transitarlo tomado de la mano de Dios. Evalúa tu puntaje, si fue alto vas por buen camino; si fue bajo, te invito a asumir el desafío y la valentía de sacrificar lo que amas con tal de cumplir el sueño de Dios. ¡Hazlo y un futuro grandioso te espera!

Memorias

Mi casa estuvo llena de mucho
amor. Fui el primogénito de mi
casa, así como el primer nieto de
la familia por ambas partes, fue
hermano de mi papá y dos hermanas
de mi mamá. Recuerdo como toda mi
familia me brindó el amor que me
ayudaba para vencer mis miedos y dar
mis primeros pasos en la vida

Mi niñez estuvo llena de mucho amor. Fui el primogénito de mi casa, así como el primer nieto de la familia por ambas partes, doce hermanos de mi papá y diez hermanos de mi mamá. Recuerdo cómo toda mi familia me brindó el amor que necesitaba para vencer mis miedos y dar mis primeros pasos en la vida.

Este soy yo montado en una bicicleta estática B.H Gacela de 1980, demostrando que estaba listo para iniciar mil aventuras y hazañas en mi vida.

Mis hermanas Catherin, Caroline y yo, siempre hemos sido muy unidos. Con ellas compartí mis primeras lágrimas y alegrías, así como las pequeñas peleas entre hermanos que no faltaban en nuestro diario vivir. Juntos aprendimos a ser humildes, a perdonarnos y con mucho amor darnos un abrazo, cuando era necesario.

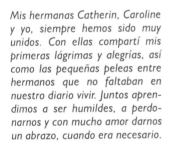

Mi madre María Brito trabajó más de veinte años como maestra en la ciudad de Santo Domingo. Una mujer entregada a su familia, luchadora, que ama enseñar y ayudar a los demás en todo tiempo. En esta fotografía está en su sillón después de haber tomado una foto a mis hermanas y a mí. Esta imagen es de una de las pocas fotografías que pude encontrar de ella, pues es de esa clase de madre que prefiere sacrificarse y estar siempre detrás de la lente capturando todos los momentos importantes de mi infancia. Sin ella, los recuerdos de mi niñez serían solo imaginación.

Antes de ser pastor, mi padre, Ramón Green, trabajó a tiempo completo por más de doce años como inspector de la «Lotería Nacional» en la República Dominicana. Aunque era agotador ya que muchas veces regresaba caminando del trabajo a casa, siempre tuvo tiempo para jugar conmigo y desempeñar su papel de «Súper Papá».

Esta es mi familia completa, mi regalo más grande de parte de Dios. La cuna donde nacieron todos mis sueños y el lugar donde aprendí a amar a Dios con todo el corazón. Así, unidos en Dios estaremos por siempre, porque este es el verdadero diseño del cielo para nosotros.

Ana y yo nos conocimos muy jóvenes. ¡Ella tenía algo especial que no solo conquistó mi corazón, sino que enamoró a toda mi familia! En nuestro noviazgo nos dimos cuenta que éramos el uno para el otro, y aunque ambos teníamos mucho que aprender acerca de una relación amorosa, estábamos abrazados muy fuerte uno del otro, listos para enfrentar y vencer los obstáculos que nos esperaban en la vida.

Nuestra boda, el 13 de septiembre de 2008, uno de los días más felices de mi vida. Ana me apretaba muy fuerte las manos y conmovidos, entre lágrimas, nos prometimos amor hasta que la muerte nos separe delante de todos nuestros seres queridos.

Al año de casados nuestro amor se extendió con el nacimiento de nuestra hija Amy, sin duda, tenerlas a las dos, era un sueño cumplido.

Aún recuerdo esta imagen orando junto a Amy, luego de haber dejado a mi esposa Ana en el aeropuerto rumbo a los Estados Unidos, debido a la situación económica que nos golpeó repentinamente. En aquel momento me sentía muy triste y le pedía a Dios en oración que me ayudara en esta nueva y retadora tarea. No pude evitar preocuparme por cómo afectaría aquella experiencia a nuestra hija. Tenía miedo de que le faltara alimento o se enfermara, pero mi mayor temor era el de no ser un buen padre.

Nuestra pequeña de tres meses y yo, nos quedamos en República Dominicana acompañados con la gran ayuda de mi mamá, quien no solo me socorría al llegar a casa, sino que juntos nos hicimos responsables de esa situación. No me sentía preparado para quedarme solo y hacerme cargo de mi hija, sin duda alguna ¡Dios me ayudó!

Varias personas me miraban como si fuera un vago, y me decían que no hacía ningún esfuerzo por trabajar. Supongo que esto era el resultado de la imagen que culturalmente el hombre tiene dentro de la casa, pero realmente pocos valoraban lo que en verdad hacía, como era dar todo de mí y ocupar mi rol de papá y mamá a tiempo completo.

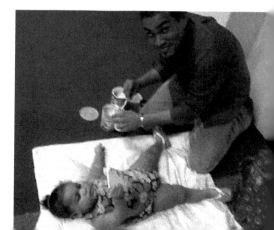

Con mi niña en brazos y mi bolso de cuidado de bebé, cada semana iba con ferviente devoción a buscar el rostro de Dios a mi iglesia «Tabernáculo de Adoración», antes de subir a adorar me aseguraba de haberle dado la leche a Amy y revisar su pañal.

Jayden nació tres años después que Amy, en los Estados Unidos, trayendo aún más felicidad a nuestra familia y completando nuestra parejita soñada. Dios me premió regalándome mi primer varón. A pesar de nuestra relación a distancia, Ana acostumbraba a viajar una vez al año a República Dominicana, en sus semanas de vacaciones laborales. Esto ayudó a que la familia continuara creciendo.

Amy estaba muy feliz con su nuevo hermanito y Jayden disfrutaba estar entre sus brazos. Siempre han sido muy unidos, ambos oraban por un nuevo hermano. Amy quería una hermana y Jayden un hermano. Tres años después Dios nos envió a Dylan, y en la fotografía a la derecha vemos cuán felices estamos con Jayden porque Dylan había llegado a completar la familia Green Polanco.

GRUPO BARAK | UNITED PALACE (NEW YORK)

22 DE ABRIL DEL 2017

EL VIAJE ENTRE LOS SUEÑOS Y LA REALIDAD

Porque yo sé muy bien los planes que tengo para ustedes —afirma el Señor—, planes de bienestar y no de calamidad, a fin de darles un futuro ya esperanza.

Jeremías 29:11 | NVI

Conocí a mis amigos Ángelo Frilop y Janiel Ponciano en la Iglesia Tabernáculo de Adoración. Antes de hacernos tan amigos, nuestro primer enlace fue como miembros del ministerio de alabanza. Desde el primer día que los conocí sabía que Dios me estaba regalando algo especial, más grande que una canción, incluso más poderoso que un ministerio, Él me estaba uniendo a los hermanos que nunca tuve y me regaló una familia. El Señor comenzó a moverse muy fuerte en nuestro tiempo de adoración y nuevas canciones comenzaron a fluir. Aquí estamos en una sesión de composición y grabación de Barak con nuestro primer álbum llamado «Generación Sedienta» el 27 de abril del 2013.

Esta es nuestra Iglesia «Tabernáculo de Adoración» en República Dominicana, donde Dios comenzó todo. Aquí nacieron casi todas las canciones del ministerio, donde meses después de entrar al estudio y componer, grabamos nuestro primer DVD LIVE «Generación Sedienta». Donde tuvimos como invitado a nuestro gran amigo el pastor Marcos Yaroide, quien fue la gran sorpresa de la noche.

Dios me regaló el mejor padre espiritual que algún hijo ha soñado tener. Conocer a mi pastor Santiago Ponciano no solo me ayudó a crecer espiritualmente, sino que, como un buen padre hasta el día de hoy, ha velado por mi familia y por mí, brindándonos el apoyo y amor que necesitamos.

Después de grabar nuestro primer disco, Dios comenzó a abrir puertas de manera inexplicable. Conocimos a nuestro mánager Ismael Dávila y su esposa Paola Díaz. Ellos fueron el complemento perfecto al ministerio. Nuestro primer viaje fue el 20 de julio del 2014 a Kansas City, Estados Unidos. Luego visitamos Costa Rica y Puerto Rico. Meses después tuvimos la oportunidad de viajar por primera vez con toda la familia, el 25 de octubre del 2014 a Florida, EE.UU. Sus nombres son (de izquierda a derecha): David Nolasco, mi familia, Janiel, Milcy, Ángelo y su esposa Raquel Reyes, Paola, Ismael y Josué Capellán.

MegaFest, Costa Rica.
7 septiembre 2014.

Coliseo Bayamon, Puerto Rico,
junto a Jesus Culture.

Concierto Generación Sedienta,
junto a más de 8000 personas.

Viajamos por más de 100 países en los primeros años de ministerio. Dios comenzó a moverse en nuestra adoración de forma sobrenatural y fuimos testigos de cientos de milagros.

El 5 de abril de 2014 conocí a Alex Campos, y me invitó a cantar la canción «Me robaste el corazón», en un concierto masivo que tuvo en San Pedro, República Dominicana. Meses más tarde pudimos grabar una canción juntos para su nuevo álbum «Derroche de amor», llamado «Si estoy contigo», la cual nos impulsó para seguir abriendo puertas en el mercado latinoamericano.

A finales del 2014, comienzos del 2015, los medios de comunicación cristianos y seculares, comenzaron a mostrar interés en nuestra música, y las ruedas de prensa y entrevistas se hicieron parte de nuestra agenda diaria en los diferentes países.

El 6 de abril del 2015 nos reconocen como la máxima representación de la música cristiana en nuestro país, en la premiación más importante a nivel secular: «Premios Soberano».

El 28 de abril del 2015 los premios Galardón siendo la máxima representación de la música cristiana en República Dominicana, nos premió como: Grupo del año, Grupo destacados en el extranjero y el Gran Galardón siendo el mayor premio de la noche.

El 25 de enero del 2016, Dios nos permite grabar nuestro segundo álbum musical «Generación Radical», esta vez con los cantantes más influyentes de la música cristiana, como Thalles Roberto, Redimi2, Christine D'Clario, Alex Campos y Juan Carlos (Tercer Cielo). Este día marcó un antes y un después para nuestro ministerio. Contamos con más de treinta mil personas en dos funciones adorando a Dios en República Dominicana.

Este nuevo álbum superó nuestras expectativas al haber sido nominado a los «Latin Grammys 2016». Nuestra agenda se había duplicado comparada a las de años anteriores por lo que tuvimos que adaptarnos a un nuevo estilo de vida. Comer, trabajar, hablar con la familia y dormir en aeropuertos.

Queríamos que este Tour Radical llegara a miles de personas y transformara vidas. Una de las victorias más grandes que Dios nos regaló fue llenar con más de trece mil personas el Coliseo más importante de la música en Latinoamérica, El Choli Coliseo de Puerto Rico: José Miguel Agrelot. En nuestras manos sosteníamos el «Ticket de reconocimiento» por el récord de ventas en una semana.

Ser un ministro de Dios conlleva privilegios y a la vez grandes desafíos. Me he perdido de ser parte de muchos cumpleaños, graduaciones del colegio, primeros días de clase, aniversarios de matrimonio y otros días importantes. Son muchas las horas que he pasado hablando por teléfono con mi familia desde hoteles y aeropuertos. Siempre he tratado de llevarlos a todos mis conciertos para aprovechar al máximo el tiempo que paso con ellos. Al estar en casa suelo jugar, viajar, recibirlos cuando vuelven del colegio, visitar abuelos, tías y tíos. Pero, de todas maneras, no puedo negar que a veces lloro cuando estoy de viaje y alguno de mis chiquitos dice que me extraña.

Doy gracias a Dios por todos mis amigos de ministerio. Josué Capellán y su esposa, David Nolasco, Agner Marte y su esposa, Ismael Ovalle y su familia, Ismael Dávila y Paola, Lucas Tazzo y familia, Janiel, Angelo y Raquel quienes se han convertido en mi familia más cercana. Gracias a Dios, porque nos ha enseñado a tener una saludable separación entre el ministerio y la familia. Siempre que podemos, celebramos juntos todos los cumpleaños y festividades. Cada día nos unimos y crecen nuestros lazos familiares. En estas fotografías tomadas el 19 de diciembre del 2018, estamos dando gracias a Dios por el ministerio.

Para mí, este abrazo significó mucho. Fue de esos apretones que son para toda la vida y que están cargados de sinceridad, amor y mucha ternura, como el de esta hermosa princesa llamada Alondra, que desde que llegué al backstage, me dijo: «Soy fan de tu música y quiero decirte que te quiero».

Nunca olvidaré la sonrisa de Dariel, un joven de 15 años luchando contra el cáncer, que corrió hasta el vehículo que nos trasladaba, me abrazó y con una sonrisa en su rostro me dijo: «Me encantan tus canciones, las canto todos los días».

Todos los días le doy gracias a Dios por el legado que puedo dejarle a mis hijos. Gradualmente han aprendido la importancia de la adoración y me dicen: «Papi, queremos ser como tú. Llévanos a todos tus conciertos como invitados». Mi dulce Amy me dice: «Yo, bailo». Jayden dice: «Papi, yo canto y toco un instrumento». Y Dylan, el más pequeño, solo dice: «Yo voy contigo papi». Es hermoso verlos en el escenario y saber que a pesar de que sus instrumentos están en silencio, sus corazones están conectados al cielo. Sé que muy pronto los veré adorando al Padre y predicando la Palabra de Dios.

Grabación de nuestro tercer álbum musical: Shekinah Live,
junto a nuestros amigos Josh Morales (Miel San Marcos), Evan Craft,
Redimi2, Kerroms Sims, Malachi Mendez. 3 de Mayo del 2019.

Dios nos ha entregado el peso de Su gloria en nuestras manos, y esto es lo más valioso que podemos tener. Apriétala tan fuerte en tu puño que no se escape de tu lado. No te muevas si ella no se mueve, no te vayas si ella no está contigo. Su gloria será quien ponga gracia delante de otras personas, sin forzar nada. Esa gloria nos representará, calificará y enviará.

SABIAS DECISIONES

↗↗↗

Capítulo 6

SER SABIOS NO ES TOMAR
LAS DECISIONES QUE A
NUESTRA VISTA SON LAS
QUE MÁS NOS FAVORECEN,
SINO DECIDIR CONFORME A
lo que Dios quiere para nosotros.

SABIAS DECISIONES

EN EL TREN DE LA VIDA, a cada persona le toca experimentar cambios. Algunos son cambios de escuela, casa, trabajo. Otros cambian constantemente de amistades, hábitos, vestimenta, entre tantas cosas. Pero los cambios no siempre son malos, a veces nos empujan a probar algo nuevo, algo distinto de lo que quizás estábamos acostumbrados a vivir.

Desde el momento en que Dios me cambió de vivir en estado crítico a una posición de reconocimiento, me sentí confrontado con ese nuevo estilo de vida. A pesar de lo hermoso de recibir la unción y las bendiciones, también te expones a ser el blanco de dificultades, envidias, tentaciones y propuestas, y yo, de ninguna de estas escapé.

Por experiencia personal sé que en tu ascenso hacia lo que Dios quiere para ti, siempre se presentan algunos peligros en los que pudieras caer, tales como el engaño de otros, el propio orgullo y el alejamiento de nuestro Dios. Me atrevo a decir que el enemigo utiliza a muchas personas para presentarte opciones que te aseguran un éxito sin tener que pasar por el proceso que el Señor tiene preparado para perfeccionarte.

Para ser más específico. Algunas personas tratarán de engañarte, aprovechándose de tu genuino deseo de alcanzar un anhelo o un sueño. En otros casos, tú mismo podrías mentirte y creer que el éxito lo obtuviste por tus propios méritos y no por la gracia que Dios te dio. Jamás permitas que tu corazón se vuelva tan engreído como para creerte la última botella de agua del desierto (es peligroso que esto se nos suba a la cabeza).

Deseo advertirte que cuando caminas en la dirección correcta hacia el sueño de Dios para tu vida, llegarán a tus manos ofertas muy tentadoras, de todo tipo, pero mayormente en el área financiera y, como sabemos, la raíz de todos los males es el amor al dinero (1 Timoteo 6:10). Tú y yo debemos cuidarnos de su naturaleza, acudiendo siempre a la sabiduría de lo alto para que esto no nos aleje del propósito que el Señor tiene para con nuestros dones y talentos.

Ante estos peligros, los cristianos tenemos la gran ventaja de poder buscar el rostro de Dios para nuestra protección, así como lo buscamos al reconocerlo como nuestro rey y salvador. Lo más importante en la vida de cualquier cristiano es aprender a tener una relación cercana con el Señor; abrir los oídos para poder escuchar Su voz, la cual siempre, en toda situación, nos orientará hacia las opciones correctas.

Aparentar ser cristianos los domingos, cuando vamos a la iglesia, no es tan difícil. En lo externo, solo basta con levantar las manos, repetir las alabanzas y cerrar los ojos al orar. Demostramos que somos verdaderos cristianos cuando las presiones de este mundo no doblegan la ética que hemos aprendido de nuestro Señor Jesús. Es decir, actuamos, decidimos y obramos sabiamente conforme a lo que nos fue encomendado en Su Palabra. Si ante una coyuntura eliges ser obediente, aunque te cueste o te perjudique a corto plazo, entonces considérate un verdadero discípulo de Jesús.

Si ante una decisión difícil, por una u otra razón nos desviamos del camino u optamos por una elección incorrecta, esto puede alargar el proceso para alcanzar los planes que Dios tiene para nosotros. Una vez escuché: «El tiempo de tu proceso lo determinará las decisiones que tomaste en medio de él».

Para esto, insisto, debemos escuchar la voz de Dios (es fundamental), ya que la seguridad de lo que nos ha dicho nos evitará equivocarnos. Si escuchamos Su voz podemos tener la confianza de saber que las decisiones que estamos tomando ya fueron primeramente aprobadas en el cielo y ninguna decisión alineada con la voluntad de Dios puede fracasar. Debemos confiar en Él al tomar nuestras decisiones.

Sin embargo, no es sorprendente, pero sí lamentable, ver que muchas personas rápidamente se olvidan de Él y lo excluyen de sus propios procesos, y a partir de esta desobediencia se originan los problemas, debido a que no se tomaron el tiempo de escuchar detenidamente la voz de Dios.

Es necesario aprender a colocar en manos de Dios nuestras decisiones, así como tener dominio propio para actuar de acuerdo con sus principios y no sobre el capricho de nuestras emociones. Para eso, debemos reconocer quién es Dios, cuál es el valor que tiene en nuestra vida y cuán importante es para nosotros, porque dependiendo del valor que le demos, así mismo lo tomaremos en cuenta a la hora de hacer Su voluntad y no la nuestra.

«SI TUS DECISIONES NO SON APROBADAS POR DIOS ANTES DE ACTUAR, ASEGÚRATE DE TENER PUESTO EL CINTURÓN DE SEGURIDAD.»

AFERRARME AL PLAN DE DIOS

Anteriormente compartí contigo acerca de cómo tomé una decisión importante en mi vida al renunciar a mis deseos de ser solista para aferrarme fuertemente a la mano de Dios, aun sintiéndome indefenso e impotente, creyendo que daba pasos a la deriva, como Pedro fuera de la barca.

En esos momentos duros, yo caminaba por fe y como ya te conté, lo único que veía era un disco con mi nombre. Sin embargo, Dios no compartía el mismo entusiasmo, Él estaba más enfocado en probar la confianza que yo había depositado en Él y en Su plan, que, aunque no era parecido al mío, el de Él era mucho mejor.

En medio de mi proceso aprendí una gran lección: No trates de hacer el trabajo de Dios. Deja que Él lo haga. La Palabra dice: «Fíate de Jehová de todo tu corazón, y no te apoyes en tu propia prudencia. Reconócelo en todos tus caminos, y Él enderezará tus veredas» (Proverbios 3:5-8 RVR 1960).

¿Qué significa esto? Dios trabajará constantemente en alinearte hacia el plan que tiene preparado para ti. Él sabe lo que te conviene, conoce lo que te aleja y lo que te acerca de Su Presencia. Es decir, si te atreves a depositar tu absoluta confianza en aquel que te conoce por completo y a involucrarlo en todos tus caminos y elecciones, Él enderezará tus veredas. En otras palabras, podríamos decir que le dará forma a la dirección en que caminan tus pasos. Y ¿adónde planea Dios direccionarte? Hacia el propósito perfecto que tiene preparado para ti.

Muchas personas toman decisiones a la ligera, sin preguntarle a Dios cuál es el deseo de su corazón. Durante algún tiempo eso me sucedió. Cometí el error de colocar el fundamento de mis decisiones en lugares equivocados como, por ejemplo: Mis talentos, capacidades, conocimientos, incluso mi personalidad e influencias. Todo lo que tenía lo estaba depositando en sacos rotos, lo invertí donde mis fuerzas me llevaron a pensar que sería la mejor decisión, sin embargo, yo no me preocupé en preguntarle a Dios cuál era el plan que había diseñado para mí.

Entre esas malas decisiones, confieso que durante mucho tiempo me esforcé en grabar una producción musical, pero, nunca logré ver ningún resultado. También intenté ser parte de proyectos musicales de otras personas y solo desgasté mis fuerzas sin ver frutos que me acercaran al propósito de Dios.

Como ya te conté, tuve que atravesar varios procesos hasta hacerme totalmente dependiente de Dios. Al formalizar mi unión con el grupo Barak, descubrí que los muchachos, al igual que yo, habían pasado por procesos similares a los míos antes de ser parte del grupo. Me contaron que tenían disponibles contactos en las emisoras y con agentes importantes del medio cristiano, y aunque podían ayudarlos a que la banda creciera con una proyección internacional, su música no logró tener el alcance esperado.

Sin embargo, al estar juntos, comprendimos por nuestros procesos independientes, que quizás había áreas desalineadas del verdadero propósito, ya que nos habíamos aferrado a la idea de que podíamos hacerlo con nuestras propias fuerzas, cuando evidentemente habíamos aprendido la lección de que no dependíamos de nada de esto.

«SABRÁS CUÁN IMPORTANTE ES DIOS EN TU VIDA CUANDO LA DECISIÓN QUE TOMES SEA A FAVOR DE ÉL Y NO DE TUS INTERESES.»

PUERTAS QUE NADIE PUEDE CERRAR

Permíteme aclararte algo: En el área musical, los promotores desempeñan un papel crucial para distribuir música; las disqueras son fundamentales para producir álbumes musicales; y los contactos son relevantes para que el material discográfico se extienda y se distribuya eficazmente, no sé en qué o en quién pones tu confianza para que impulse a lo que te dedicas, pero existe una delgada línea en la que podemos confundirnos entre, abrir las puertas por nuestros medios o que sea Dios quien las abra. Algo sí te aseguro, es mejor esperar que la puerta de Dios se abra, a que nuestra desesperación abra forzosamente la puerta incorrecta.

El texto de Isaías 22:22 dice: «Y pondré la llave de la casa de David sobre su hombro; y abrirá, y nadie cerrará; cerrará, y nadie abrirá» (RVR 1960). La llave de David es la representación de Jesucristo y lo que Él puede hacer por nosotros. No por casualidad Dios dijo de este personaje que era «un hombre conforme a Su corazón». Él sabía cómo abrir la puerta que le daba acceso a una perfecta comunión con el Padre. Este texto es muy importante, porque a veces confiamos tanto en nuestras llaves terrenales (los agentes, las emisoras, los promotores), que no entendemos que es Dios quien promociona los ministerios. Nuestro principal y único objetivo debe ser obtener, a través de nuestra adoración y entrega, la llave que abre Su corazón. Él será quien decida qué puerta abrir a favor de que se expanda el mensaje que recibimos en intimidad, para que otros le conozcan. Esas son puertas que nadie puede cerrar.

Desde ese momento, cada pequeño pero significativo paso que dábamos en el ministerio Barak, quedábamos sorprendidos; y aunque hubo muchos intentos humanos por tratar de que sucediera algo grande, no fue hasta que le dimos libertad a Dios para que hiciera lo que quisiera, como Él quisiera y en el tiempo que quisiera, que comenzaron a abrirse las puertas de mayor bendición para el equipo.

En esa decisión de dependencia a Dios sucedió una hermosa anécdota. En el estudio de grabación creamos dos tracks abiertos al mismo tiempo. Uno grababa mi voz, y otro, el audio del ambiente a la vez, pero del cual no se oía ninguna frecuencia de sonido. Al segundo canal le pusimos por nombre «Espíritu Santo». Y aunque no se escuchaba nada, con este acto de fe entendimos que, en el mundo espiritual se estaba abriendo un canal disponible para que el Espíritu Santo intervenga en el momento que quisiera con Su propia Presencia y melodía. Así demostramos nuestra dependencia de Dios. De esta forma, le pedimos que Él estuviera presente en cada melodía de nuestras canciones.

Antes quería cantar solo con mis fuerzas, con mi voz y mi talento, pero cuando le di al Espíritu el lugar que merecía y le permití que sea Él quien cante, yo solamente era quien lo acompañaba.

A partir de allí, en cada sesión de grabación, abrimos un canal, del cual sé que, aunque no se escuchen frecuencias de sonidos grabados, Él canta con nosotros y nos acompaña en adoración. Con esta acción de fe, provocamos un cambio radical en la forma de hacer las cosas, y le permitimos a Dios que con su hermosa y necesaria participación guie nuestros proyectos bajo el reposo de Sus tiempos y decisiones. Entendimos que sin importar cuánto público alcance cualquier canción, Él merece el lugar más importante en todo lo que hacemos.

Desde entonces todo cambió de un instante al otro. No tuvimos necesidad de forzar, ni insistir en abrir puertas de promoción, porque Aquel a quien le habíamos abierto la puerta y dado la libertad de moverse en nuestra vida, había puesto la llave y abierto las puertas de Su voluntad. Por lo tanto, si no dependemos de Dios para tomar decisiones y Él no está en el primer lugar, nos moveremos erradamente.

ERRORES Y DECEPCIONES

En el ministerio Barak cometimos algunos errores. Durante algún tiempo intentamos fiarnos del trabajo de las personas y no de Dios. Y cuando nos apoyamos en «profesionales del medio» nos sentimos frustrados, por depositar nuestra confianza más en el ser humano que en su Creador. Cuando Dios no se siente parte de nuestras decisiones, cerrará las puertas y nos sentiremos defraudados por las personas, sin entender que fue Dios quien lo permitió, para que le entreguemos nuestra confianza a Él.

Cuando caminamos guiados por el Espíritu Santo, cualquier persona puede sentir la gracia que reposa sobre tu vida, perciben un respaldo diferente, incluso, los promotores y las disqueras pueden notar que hay algo diferente en ti, difícil de encontrar. Esa paz invisible que transmites no proviene de tu talento, ni de tu gran o pequeña popularidad, sino de la gracia que Dios vertió sobre ti desde que decidiste hacerte dependiente de Él. Esta sabia decisión es la gracia que motivará a los que pueden sumar algo a favor de lo que haces, porque saben que a final de cuentas trabajan para el Reino de Dios.

No siempre te encuentras con personas que valoran lo que Dios te dio, y en esta parte del texto quiero referirme a aquellos que se han levantado contra ti, que desean que te vaya mal. Esos que se llenan de envidia y desean estar cerca de ti solo para acusarte y el mismo enemigo usa su vida para ser piedra de tropiezo.

El mejor consejo sabio que puedo darte para lidiar con ellos es gozarte en medio de las falsas acusaciones que dicen sobre ti. La Palabra dice: «Dios los bendice a ustedes cuando la gente les hace burla y los persigue y miente acerca de ustedes y dice toda clase de cosas malas en su contra porque son mis seguidores. ¡Alégrense! ¡Estén contentos, porque les espera una gran recompensa en el cielo! Y recuerden que a los antiguos profetas los persiguieron de la misma manera» (Mateo 5:11-12 NTV)

En lo personal, me tomo muy en serio esto de gozarme y alegrarme cuando llegan a mis oídos rumores con mentiras. Considero literal lo que dice una popular canción de Juan Luis Guerra basada en Éxodo 23:28: «Dios le envía avispas delante para que le echen fuera». Igualmente dice en Deuteronomio 7:20: «También enviará Jehová tu Dios avispas sobre ellos, hasta que perezcan los que quedaren y los que se hubieren escondido de delante de ti» (RVR 1960).

El Señor es mi defensor, y aunque se levanten acusadores en mi contra, Él enviará sus ángeles a cuidarme y protegerme. Cuando estamos con Dios, estamos seguros, pero si caminamos sin Dios, estamos indefensos, propensos a cometer errores, porque no hay quien enderece nuestros caminos. ¡Gloria a Dios por la dependencia absoluta de Él!

Sabrás que te encuentras en el mejor momento de tu relación con Dios, cuando sea Él quien toma las decisiones por ti. Reconocerás que existe un trato especial, tan especial que tú no quieres hacer nada sin que sientas en tu corazón que Él lo aprobó antes. También notarás que, al hacerte dependiente absoluto de Dios, Él depositará cada día Su confianza en ti, y con ella agregará virtudes, dones, y cualidades que serán llamativas a la vista de personas. Lo importante es que siempre le hagas saber a todos, que el foco no eres tú, sino que lo que miran es el resultado de haber sido alumbrado por la Luz del Mundo: Jesús.

Diariamente es necesario recordar que somos polvo animado por el aliento de Dios. Algunas personas tienden a definir tu valor por tus logros, sin mirar al que realmente hace las cosas. Otros ni siquiera ven valor en ti. Pero cuando la gracia de Dios es vertida sobre tu vida, empiezan a valorarte solo por lo que has recibido.

Aparecerán personas que te admiren y prometan soluciones con intenciones egoístas y avaras. Antes, probablemente muchos de ellos nunca te vieron, te hablaron ni te dieron la mano, pero ahora se te acercarán. Sabiamente te digo, ámalos e ignora sus obras. Son como sanguijuelas que buscan pegarse a ti y disfrutar de tus bendiciones pretendiendo congraciarse a través de halagos. Si mi ingenuidad me hubiese hecho caer en esta trampa venenosa, estuviera rodeado de personas que solo pretenden aprovecharse de mi presente estado, y tal vez hubiera basado mi identidad en las adulaciones que recibo y no en lo que Dios dijo que yo era. ¡Esto es tan peligroso!

Desde el momento en que el Señor me promovió al ministerio, uno de los cambios más rudos fue que algunas muchachas me escribían a través de las redes sociales con insinuaciones, y confieso que, de no haber estado Dios en mi corazón, posiblemente hubiera tomado muy malas decisiones y quedado esclavo de mis debilidades. Los ataques diabólicos disfrazados de mansas y beneficiosas oportunidades comenzaron a multiplicarse. También se sumaron a contactarme productores cristianos, insinuando ofertas de todo tipo, incluso falsas promesas de éxitos a nivel secular.

Pero cuando entendemos que Dios tiene un plan mayor para con nosotros, aun si caemos, nos levantamos y abandonamos todos los planes que parezcan placenteros y que el enemigo quiera presentarnos, ya sea con mujeres u hombres, espíritus inmundos, placeres personales o lucro económico, Dios sigue adelante con su propósito para nuestra vida. Aún en la soledad de nuestra intimidad, puede llegar el enemigo a ofrecernos vanidades «placenteras» y momentáneas, por eso insisto: ¡Ten cuidado!

EN LOS ZAPATOS DE DANIEL

En muchas oportunidades me identifiqué con el profeta Daniel, por ejemplo, cuando le propusieron comer de la comida del rey: «Se propuso Daniel en su corazón no contaminarse con los manjares del rey ni con el vino que él bebía» (Daniel 1:8 LBLA). Todo nace de la disposición del corazón. Si tu corazón es puro, sabrás que por más apetecible que parezca un manjar, si su procedencia es mala, deberás rechazarlo. Cuando somos depositarios de la gracia, nos brindan tantas ofertas que fácilmente nos sentimos en los zapatos de Daniel.

Daniel era un joven sabio presionado por un sistema babilónico, el sistema de este mundo, que pretendía cambiar su corazón para hacerlo parte de actos idólatras contrarios a su fe en Dios. Asimismo, muchos jóvenes nos vemos expuestos a ofertas y presiones de este mundo que dan la oportunidad de elegir tantas cosas que parecen buenas, pero al final terminan promoviendo la idolatría a uno mismo. Este sistema nos ofrece deleitarnos en los manjares del «yo» y del «orgullo propio», comida que desde que encontré a Dios jamás se me hizo provocativa, y al igual que el profeta tuve que decir: «No voy a contaminarme con la comida del rey de Babilonia».

En ese momento, ¿cuál era la comida del rey para mí? Podía aprovechar mi momento de fama para conquistar muchachas, y cometer muchos errores, sin embargo, hoy todo esto lo tengo por basura con tal de jamás perder mi dependencia del Espíritu Santo. Es en Él donde encuentro mi verdadero y único deleite. No hay manjar más placentero que se compare con serle fiel a mi esposa y al propósito por el cual Dios me llamó.

El pueblo de Israel caminó por 40 años hasta alcanzar su propósito. En ocasiones nosotros caminamos de la misma forma. Al tomar malas decisiones alargamos el tiempo girando siempre en el mismo sentido para ver el cumplimiento de lo que Dios quiere entregarnos.

Como seres humanos somos frágiles y emocionales, y al vivir tantos cambios, la mente y el corazón pueden jugarnos una mala pasada. El texto de Jeremías 17:9-10 dice: «Engañoso es el corazón más que todas las cosas, y perverso; ¿quién lo conocerá? Yo Jehová, que escudriño la mente, que pruebo el corazón, para dar a cada uno según su camino, según el fruto de sus obras» (RVR 1960).

Se nos puede hacer fácil malinterpretar lo que nos dicen los impulsos de nuestra mente. Sin embargo, Dios, siendo tan bueno y misericordioso, nos aconseja no obedecer ni dejarnos llevar por los engaños de nuestro propio corazón. Sino que con nuestras obras demos buenos frutos para vernos aprobados delante de Él. ¡Gloria a Dios!

No solo escuchamos la voz de nuestro engañoso corazón, sino que las malas decisiones también pueden estar influenciadas por la voz del enemigo. Cuando Dios coloca gracia sobre nuestras vidas, automáticamente el reino de las tinieblas usará todas sus maquinaciones para que desistas de obedecer la perfecta voluntad de Dios. No olvides que cuando Jesús caminaba en el desierto tenía una encomienda monumental, el enemigo lo sabía y su intención era hacerlo fracasar. Él sabía cuáles eran las necesidades y fragilidades que Jesús tenía en ese momento, por lo que le ofreció comida, riquezas e incluso que se lanzara de un precipicio para que los ángeles lo recogieran.

Jesús, contando con una identidad firme de saber quién era, solo usó la palabra escrita para enfrentar semejantes ataques. ¡Qué gran ejemplo nos dio para tomar decisiones sabias! Debemos estar centrados y fundamentados en lo que Dios ha escrito en Su Palabra acerca de nosotros, porque podemos tomar decisiones erradas. Lo que el diablo le ofrecía a Jesús en ese instante parecía tentador, porque conocía el momento de debilidad corporal en la que se encontraba (40 días de ayuno). Contigo lo hará de la misma forma, él usará cada momento donde sepa que puedas resbalar en tus convicciones, para tentarte. Debemos aprender a no tomar decisiones en función de las necesidades que nos apremian, sino por el propósito que Dios nos ha trazado.

Probablemente, Daniel, aun queriendo comer de los manjares del rey, abandonó su necesidad personal y se abrazó al plan de Dios. Cuando atendemos a la necesidad de Dios, somos galardonados, premiados con más gracia. Esto acelera el plan que Dios tiene para nosotros. Cuando superamos cada prueba y tentación personal, Dios encuentra en nosotros, alguien con firmes convicciones en su identidad de hijo, y nos confiará sus planes más grandes.

OJO CON DALILA

Otro consejo que quiero dejarte antes de finalizar este capítulo se trata de ciertas amistades o familiares que pueden ser contaminantes para tu vida. Las influencias a nuestro alrededor no solo provienen del enemigo, sino también de nuestros amigos cercanos, que pueden ser usados para hacernos tomar decisiones incorrectas. Pon tu confianza solo en Dios y mantente cerca solo de aquellas personas que te impulsan a crecer, a mejorar y que suman más a tu fe. Una mala amistad puede influenciarte a tomar decisiones muy desagradables.

Sansón es un buen ejemplo de lo que tenemos que evitar. Él dejó que Dalila lo influenciara. Dios le había dado fuerza, gracia, un don especial, pero esta persona cercana provocó que se desviara del propósito de Dios para su vida y esto le trajo como consecuencia su muerte espiritual y física. Si no se hubiera dejado influenciar por Dalila, la historia sería otra.

Debemos tener cuidado con elegir quienes nos rodean, porque tienen el potencial de instruirnos para bendición o para desobediencia. En mi caso me siento afortunado y agradecido a Dios por haber puesto en mi camino amigos que me impulsan cada día a buscar más de la Presencia de Dios.

No siempre las personas a las que decidas brindarle tu amistad y de las cuales te rodearás, serán las más convenientes para alcanzar tu propósito. Sin embargo, decidir quiénes son las personas correctas, no es el resultado de cuán sagaz o inteligente seas, sino de entregar tu voluntad al Padre.

Todos pasamos por traiciones, decepciones e incluso tristezas por no siempre recibir a cambio lo que damos. Si tu sensible corazón ha puesto su mirada en las personas y no en Dios, puede llegar hasta el punto de desistir y apartarse del camino que ya Dios trazó para ti.

«El principio de la sabiduría es el temor a Jehová», dice Proverbios 1:7, y este temor no se asocia al miedo, sino al respeto y la reverencia que tenemos al considerar a Dios siempre como figura primordial en todo lo que hacemos, antes que nuestra propia sabiduría. Es decir, que cada vez que quiera decidir algo bajo mis impulsos y conocimientos, el temor a Dios me obligará a pensar primeramente lo que Él haría, y así yo poder imitar sus decisiones, que siempre serán perfectas.

Una persona sabia no es la que tiene más conocimientos, libros leídos e inteligencia, sino es aquella que toma las decisiones correctas; y no siempre lo que para nosotros parece correcto, es lo que a Dios le parece mejor. Aprendamos de Jesús. Cuando el Maestro fue llamado al ministerio, decidió llamar a doce personas llenas de defectos e imperfecciones. Esta elección de Jesús no fue por falta de sabiduría, sino que Él conocía la perfecta voluntad del Padre.

Ser sabios no es tomar las decisiones que a nuestra vista son las que más nos favorecen, sino decidir conforme a lo que Dios quiere para nosotros. Sin importar si trae o no sufrimiento, el resultado final siempre será perfecto, ya que Su voluntad es buena, agradable y perfecta.

Actuar con sabiduría no se aprende en un curso, escuela o universidad, se adquiere atravesando diferentes circunstancias que te obligan a mirarte en el espejo de Dios e imitar sus decisiones. Dios te ama y por supuesto que quiere expandir y promocionar tu ministerio, para que las personas que te miren puedan hallar un reflejo de Su gracia. Esta unción solo se adquiere haciéndote dependiente de lo que sale de Su boca sin entorpecer con nuestras manos humanas la obra maestra que está diseñando y construyendo para mostrarse.

Teme a Dios, piensa en lo que Él haría antes de actuar, y no habrá enemigo, tentación, oferta, circunstancia, envidia o voluntad de hombre, que entorpezca el propósito por el que fuiste llamado.

Reflexionemos juntos

«El principio de la sabiduría es el temor del Señor; buen entendimiento tienen todos los que practican sus mandamientos», dice la Biblia. Para tomar buenas decisiones es necesario temer a Dios, y ya expliqué a qué tipo de temor me refiero. Tomar buenas decisiones no es tarea de los solitarios sino de aquellos que reciben buenos consejos y están rodeados de buenas amistades. Es por eso muy necesario evaluar quiénes son las personas que nos acompañan en el camino hacia el propósito.

1– ¿Cuánto influyen las personas que te rodean en tus decisiones?

2– ¿Cuánto consideras a Dios a la hora de tomar una decisión?

Te animo a que revises tu agenda personal y tomes decisiones sabias al alejarte de aquellas amistades que no son buenas consejeras para ti, no sea cosa que al igual que el pueblo de Israel, tardes 40 años en llegar al propósito, en lugar de arribar a los cuatro días. En Dios está la sabiduría, e involucrarlo en tus decisiones es lo mejor que puedas hacer, pues así no correrás el riesgo de equivocarte.

Capítulo 7

DEPÓSITOS EN EL
CORAZÓN DE
DIOS

EL SEÑOR RECOMPENSA SIEMPRE, PORQUE ÉL NO PUEDE ACTUAR DE OTRA MANERA. NUESTRO DIOS ES EL *Señor de las recompensas*

Capítulo 7

DEPÓSITOS EN EL CORAZÓN DE DIOS

ERA LA TARDE DE UN 31 DE DICIEMBRE y estaba corriendo para ejercitarme, como suelo hacer cada semana. Pero ese día, entre kilómetro a kilómetro sentí de una forma impresionante el abrazo de Dios lleno de gracia. La conmoción me llevó a reflexionar acerca del año que estaba a punto de terminar, pensé acerca de mi vida y de cómo el Señor había guiado mi ministerio.

Mientras meditaba recordé cuántas veces, jóvenes, periodistas y conductores de programas de radio y televisión me preguntan qué podían hacer para llegar a niveles significativos de posicionamiento y reconocimiento popular. Y en verdad, aunque quisiera tener una respuesta sencilla, una receta o una fórmula que pudiera darles para que todo funcionara conforme a sus anhelos, no la tengo.

Sin embargo, después de ese tiempo de ejercitación, el Padre ha puesto en mí el deseo de escribirte sobre aquello que sí conozco y que he adquirido conforme al paso de los años en mi trayectoria ministerial. Aquellos elementos del ministerio que el público no ve, pero que poco a poco conquistan el corazón de Dios, son justamente esos detalles que quiero conversar contigo. El texto de la Escritura en Mateo 25:23 nos enseña que, si Dios ve que fuimos fieles en lo poco, nos pondrá a cargo de mucho más.

Te has preguntado alguna vez: ¿Por qué Dios no me bendice? ¿Por qué, por más esfuerzos que hago, los cielos no se abren a mi favor?

En un momento de mi vida este era mi cuestionamiento diario. Creía que conquistar el corazón de Dios era cuestión solo de cantar, hacer las cosas con las mejores intenciones o poner letras con sinónimos celestiales como «santo, aleluya, gloria, etc.», a mis canciones y oraciones.

Y quizás tú, al igual que muchos otros hombres y mujeres, esperan una respuesta de parte de Dios para alcanzar sus sueños, pero dudan sobre el propósito que Él tiene para con ellos.

Tal vez has observado a un ministerio crecer «desde la nada», o al menos esa es tu percepción. Que de repente algo que comenzó pequeño hoy alcanza más iglesias, más ciudades o más países que otro. Pero si en verdad estuvieras cerca de ese al que estás mirando o investigaras sus inicios, te darías cuenta de que quizás esos resultados no llegaron «desde la nada».

TESOROS EN EL CORAZÓN DE DIOS

El sacrificio constante es la clave. En la segunda carta del apóstol Pablo a Timoteo dice: «Por lo cual asimismo padezco esto; pero no me avergüenzo, porque yo sé a quién he creído, y estoy seguro que es poderoso para guardar mi depósito para aquel día. Retén la forma de las sanas palabras que de mí oíste, en la fe y amor que es en Cristo Jesús. Guarda el buen depósito por el Espíritu Santo que mora en nosotros» (2 Timoteo 1:12-14, RVR 1960).

También, en otro texto nos manda a orar sin cesar (1 Tesalonicenses 5:17). Al comunicarnos con Dios reconocemos su señorío sobre nosotros. Cuando oras, aunque creas que no pasa nada en un momento determinado, ni en una semana, ni en un mes, ni en un año, tienes que saber que con cada oración estás depositando tesoros en el corazón de Dios.

¿Y de qué se tratan estos depósitos? Permíteme explicártelo de esta manera. Cuando en tu trabajo te pagan un bono o un salario extra, vas al banco con parte de esas ganancias y haces un depósito, eso si eres organizado en tus finanzas, lo cual te recomiendo.

¿Para qué hacemos esto? ¡Para crear un buen historial de crédito! Por supuesto, ni tú ni yo creamos crédito de la noche a la mañana, sino que nuestros ahorros realizados de manera sistemática van mejorando nuestro comportamiento financiero ante el banco, y esto hace confiable tu perfil de riesgo crediticio. En palabras más sencillas, con este hábito del ahorro, el banco dice: «¡Esta persona es confiable, podemos darle un buen límite de crédito!».

Podríamos decir que Dios trabaja de una manera similar con nosotros. A veces decimos: «¿Por qué hay que consagrarse a la oración? ¿Por qué ese hermano o esa líder doblan sus rodillas con tanta devoción?». Si te haces esas preguntas, tal vez no entiendes que esas personas hacen depósitos en el corazón de Dios.

Habitualmente nos acostumbramos a orar a la ligera, pero debemos preguntarnos si es este el depósito que queremos hacer en el corazón de Dios. Decimos: «Bueno, voy a leer un versículo bíblico y ahí acaba la cosa, porque no entiendo mucho». ¡No, por favor! ¡Debemos entender! Ese esfuerzo que invertimos en conocer la Palabra suma puntos en el banco de nuestro Padre Celestial.

«DEPOSITA TUS PETICIONES EN DIOS,
ÉL VELARÁ POR TUS INTERESES Y
MULTIPLICARÁ TUS BENDICIONES.»

Tal vez hay un cristiano que con insistencia busca el rostro de Dios, ora, sirve y ama a todos. Tiempo después, las puertas de los cielos se le abren y de repente es un ministro con gran alcance mundial. Pero tal vez hay otro cristiano que, aunque asista a la iglesia, a causa de sus críticas, burlas y pereza espiritual, no ve fruto.

Si utilizamos metafóricamente el ejemplo del dinero, (aunque en este libro no hablamos de finanzas), podría decirte que el primero depositó millones en los cielos, mientras que el segundo solo ha depositado unos pocos pesos. Luego este se pregunta: «¿Cómo es que de repente (porque siempre creemos que eso sucede de un segundo a otro) esa persona recibe bendiciones tan grandes?».

Mi respuesta sería que el primer sujeto se ocupó en sumar créditos en el cielo, entonces las riquezas del reino están a su disposición sin límites, porque su flujo de entradas a la Presencia de Dios fue continuo.

ALCANCÍAS CELESTIALES

Recuerdo cuando mi papá nos despertaba, a mis hermanas y a mí, a las 5:45 am para adorar al Señor, de alguna manera, este difícil sacrificio era un depósito que aun sin saberlo, trajo las buenas consecuencias que hoy disfruto. Confieso que hubiera preferido quedarme durmiendo, descansando y abrazado a mi almohada, pero mi padre/pastor se encargó de dejarnos un legado de amor y fortaleza espiritual. Nos enseñó a ofrendar, a depositar las primeras horas de la mañana en el banco del corazón de Dios. En ese momento no lo entendía, pero ¡qué gran semilla fue depositada en mi vida!

Una forma que muchos padres usan para enseñarles a ahorrar a sus hijos es comprándoles alcancías, y de cada mesada o porción de dinero recibido, les hacen separar una parte para guardarlo en ese cochinito de porcelana. El objetivo de esta enseñanza es que los niños entiendan que el ahorro es un hábito que no se relaciona tanto con la cantidad de dinero que tenemos, sino con la actitud de ser responsables con los recursos que contamos. Algo así se propuso mi papá con nosotros, con el propósito inmenso de enseñarnos a realizar depósitos en el corazón de Dios a través de nuestra oración, alabanza, estudio intenso de la Biblia y sacrificios.

Al principio, cuando era un niño, arrastraba mis pies hacia la sala, con los ojos soñolientos, la mente algo nublada y los músculos perezosos. Con el tiempo, ese despertar se convirtió en alegría, pies ágiles y una voz dispuesta a alabar al amor de mi vida, Jesucristo, quien tomó mi lugar en el Calvario y soportó el castigo que yo merecía. Allí, como dije antes, nació mi carrera artística, esa actividad por la que quizás me conoces, empezó en una sala, cuando era pequeño, pasadas las cinco de la mañana.

Más adelante, ese deseo de adoración lo trasladaría a la iglesia. Allí limpiaba, preparaba la tarima, afinaba los instrumentos, visitaba a los enfermos, caminaba grandes distancias a altas horas de la noche para llegar a la casa desde el templo, pues en muchas ocasiones el transporte público se hacía escaso. En conclusión, hacía lo que fuera necesario para el servicio desinteresado a la congregación, sin quejas, pero con fervor. Estos son depósitos valiosos que Dios guarda en el corazón. Nada de lo que hacemos para Dios es en vano, pues el Señor no se olvida nunca de todo lo que hacemos para Él.

El servicio era parte de mi llamado, aun cuando era niño. Trabajar para el Padre me apasionaba. Su amor e impulso me alimentaban. El Dios todopoderoso me llenaba de gozo y me hacía sentir vivo cuando era útil en la obra maravillosa de expandir el Evangelio.

A medida que pasaba el tiempo, ya siendo un preadolescente de 12 años, en cierto sentido hubiera querido salir a jugar más, estar con amigos que vivían cerca de mi casa, pasar más tiempo viendo televisión, ir más al cine, entre muchas otras actividades que podrían resultar más entretenidas que ir a la iglesia. En oportunidades, a mis amigos no les gustaba hacerme parte de sus planes, pues sabían que en cualquier momento mis padres me llamarían para ir a alguna actividad de la iglesia, y dejaba a medias lo que estábamos haciendo. Mis amiguitos podrían pensar que mis papás me obligaban, pero no, mi familia me instruía en el servicio y me enseñaban el verdadero valor del sacrificio que hacíamos para Dios.

El hábito de depositar en el corazón de Dios desde mi niñez hasta el día de hoy lo considero como una de las mejores inversiones que he hecho en mi vida y me siento agradecido por lo aprendido en mi crianza.

EL BANCO DE LOS CIELOS

Ahora, como adulto, entendí mejor el tema de las finanzas y sus semejanzas con el Reino de Dios. Con la gran diferencia que uno consiste en dinero y el otro en la siembra, la oración, el servicio y la fidelidad al Señor que proviene del amor.

En el presente, por lo general confiamos en los bancos. Solo en mi país, República Dominicana, la Superintendencia de Bancos reportó a finales de 2018 depósitos públicos por US$40 mil millones en los llamados bancos múltiples. ¡Por lo visto confiamos en los bancos! Entonces, ¿cuánto más deberíamos confiar en Dios, que es el dueño de todo lo que existe en la tierra y el cielo? ¡Ese Dios que nos ama de forma inigualable!

Ten por seguro que nuestro generoso Padre Celestial nunca se queda con nada de lo que le pedimos o que hacemos para Él. Su carácter tiene una naturaleza de recompensa, y no es deudor de nadie. Por lo que en Su Palabra nos recomienda: «No acumulen para sí tesoros en la tierra, donde la polilla y el óxido destruyen, y donde los ladrones se meten a robar. Más bien, acumulen para sí tesoros en el cielo, donde ni la polilla ni el óxido carcomen, ni los ladrones se meten a robar. Porque donde esté tu tesoro, allí estará también tu corazón» (Mateo 6:19-21, NTV).

Atesora esto en tu corazón: «El Señor recompensa siempre, porque Él no puede actuar de otra manera. Nuestro Dios es el Señor de las recompensas». Si este concepto representa para ti una motivación, no harás mal ni fallarás por confiar en esa esperanza.

En repetidos pasajes, la Escritura nos muestra que el Señor pagará a cada uno conforme a su obra. Por lo tanto, nunca será en vano orar ni tampoco servir al Dios vivo.

Veamos lo que nos dice Dios: «Pedid, y se os dará; buscad, y hallaréis; llamad, y se os abrirá. Porque todo aquel que pide, recibe; y el que busca, halla; y al que llama, se le abrirá. ¿Qué hombre hay de vosotros, que si su hijo le pide pan, le dará una piedra? ¿O si le pide un pescado, le dará una serpiente? Pues si vosotros, siendo malos, sabéis dar buenas dádivas a vuestros hijos, ¿cuánto más vuestro Padre que está en los cielos dará buenas cosas a los que le pidan?» (Mateo 7:7-11, RVR 1960).

Por cierto, el clamor hace la diferencia, debido a que conmueve el corazón de nuestro Dios. Durante mucho tiempo creí que conocía la voluntad del Padre, pero luego abandoné la vida consagrada, mientras intentaba probar suerte con mis propias fuerzas.

Es verdad que «todo lo podemos en Cristo que nos fortalece» (Filipenses 4:13), pero esta afirmación también aplica al caso contrario: «sin Cristo, nada podemos hacer» (Juan 15:5). Por eso, es esencial conocer la voluntad del Señor al que profesamos servir.

EL CRÉDITO DE LA GRACIA

Durante aquella etapa de mi vida en la que había decidido abocarme a procurar los créditos humanos para buscar atención y aplausos que mi ego necesitaba como oxígeno, trajeron consecuencias difíciles que enfrenté precisamente por no buscar primero el Reino de Dios y su justicia (Mateo 6:33). Pretendía conformarme con las añadiduras, las cuales, irónicamente, tampoco conseguí. Las bendiciones de Dios llegan y los cielos se abren, cuando nuestro corazón le quita importancia a las añadiduras para enfocarse únicamente en adorar.

Nuestra salvación es por gracia, pero ten por seguro que aquí, en la tierra, recibirá mayor atención de nuestro Salvador quien deposite más tiempo de oración, anhelo por la lectura de Su Palabra e invierta más servicio en el banco de Su corazón. «Porque somos hechura suya, creados en Cristo Jesús para buenas obras, las cuales Dios preparó de antemano para que anduviésemos en ellas» (Efesios 2:10 RVR 1960).

Cuando entendemos que podemos vivir la vida cristiana solo por gracia, hacemos como aquel que toma una tarjeta de crédito y la gasta deliberadamente como si ese dinero fuera suyo. Al saber que solo vives por gracia y descuidas la oración, leer las Escrituras y la vida espiritual, entras en un tiempo de sobregiro, y retrasas el propósito de Dios para tu vida. Al momento en que llega la crisis, no estás preparado para afrontarla con la paz que caracteriza a un hijo de Dios. Esto simplemente ocurre por no haber realizado depósitos en el banco del corazón de Dios.

Durante un tiempo me ocurrió lo que dice el texto de Mateo 15:8, aunque cantaba alabanzas en las iglesias, de labios honraba al Señor, pero mi corazón estaba lejos de Él. Entonces llegó la crisis a mi vida, porque las cosas no funcionaban como lo había planificado. Ante las dificultades me rendí, y caminé con pasos derrotistas por una temporada, puesto que se me olvidó lo que había aprendido en mi casa: hacer depósitos en el corazón de Dios.

¿Cómo salí de mi propio desierto? Clamando, declarando la soberanía de nuestro Dios, adentrándome en Su Palabra, recuperando el tiempo perdido y haciendo depósitos en Su corazón encerrado en la soledad de mi habitación.

Nuestro Padre desea estar contigo, hablarte y revelarte sus planes para tu vida. Por eso, no basta con decirles a tus conocidos que tienes fe, sino que debes vivirla con intensidad, obedeciendo la Palabra.

Quizás te has preguntado ¿para qué ahorras? Los especialistas en finanzas personales llaman al ahorro un «fondo de emergencia». Estos depósitos tienen la virtud de ayudarnos a afrontar problemas inesperados que demandan cantidades de dinero no previstas en nuestro presupuesto.

Aunque los depósitos en el corazón de Dios no solo son útiles para enfrentar problemas, por supuesto que el haber depositado oración, servicio, ayuno y tiempo de estudio de la Biblia, te empodera para manejar cualquier clase de crisis que debas enfrentar.

Igualmente, invertir de tu tiempo y energía en el avance de su Reino, es lo que tenemos que buscar antes que las añadiduras. Hacemos grandes depósitos en el corazón de Dios cuando entendemos que el servicio es una prioridad, tan solo porque amamos Su Presencia y valoramos Su Gracia.

De la misma manera que los depósitos en el corazón de Dios pueden ayudarte a alcanzar el propósito para tu vida, también es posible que al olvidarte de tu Padre te desmorones sin importar qué tan grande haya sido tu éxito. A veces no sentimos el respaldo del Señor porque hemos dejado de depositar en su corazón. No obstante, seguimos ejerciendo labores en el ministerio debido a que nos sentimos comprometidos con agradar a la gente antes que a Dios.

Si no podemos engañar a los bancos, ¡mucho menos a Dios! Existen algunos ingeniosos que depositan grandes sumas de dinero en un banco días antes de pedir un préstamo. Sin embargo, eso no le va a garantizar el préstamo que necesitan, puesto que la entidad financiera reconoce estas artimañas a kilómetros de distancia, así, con más razón, al Padre omnisciente no lo podremos burlar. No pretendamos ganar el respaldo de Dios con una larga oración de un día, pensando que nos rendirá para todo un mes. De la misma manera que las líneas de monto crediticio ante las instituciones financieras se construyen día a día, tu relación con Cristo se fortalecerá a partir de los constantes depósitos realizados de corazón en la continua intimidad y oración.

El Señor quiere que tengamos una visión que nos impulse a tener metas que incluyan el crecimiento espiritual y el desarrollo personal, ya que somos más que vencedores por medio de Aquel que nos amó (Romanos 8:28), ¿y sabes por qué? Porque conforme a Su propósito fuimos llamados.

Ya finalizando aquellos cinco largos kilómetros que corrí ese último día del año, no podía dejar de agradecer por la bondad de Dios al revelarme esta grandiosa enseñanza. Cayó el atardecer, me di una ducha, jugué con mis hijos, revisé la planificación de actividades de Barak y compartí una suculenta cena preparada por mi esposa, no sin antes recibir un nuevo año haciendo depósitos en el corazón de Dios.

«VALORA EL TIEMPO A SOLAS CON DIOS, PORQUE CADA SEGUNDO EN LO SECRETO TE GUIARÁ A LAS BÓVEDAS ÍNTIMAS DE SU CORAZÓN.»

Reflexionemos juntos

Mantener la comunión directa con el Padre a través de la oración es el combustible que cargamos para que nos acompañe en los trayectos del camino. Muchos no logran ver la importancia de la oración. Cada vez que oramos a Dios estamos haciendo depósitos anticipados en el banco del cielo. Y permíteme decirte que aquellos que creen que la oración es aburrida, es porque no saben que la oración es un diálogo y no un monólogo. La oración es una dulce conversación entre un Padre y un hijo.

Quiero que te conviertas en un gran adorador, no importa si cantas o no, todos somos adoradores, y es por ese motivo que quisiera que tú mismo respondas las siguientes preguntas en tu interior:

1— *¿Le dedico tiempo a la oración a lo largo de mi día?*

2— *¿Oro lo suficiente como para reconocer la voz de mi Padre cuando me habla?*

Reconocer la voz de tu Padre celestial es parte de un ejercicio que se practica diariamente, solo así lograrás reconocerla en medio de un gran murmullo de confusión. ¡Haz de la oración un espacio innegociable de tu vida diaria!

Capítulo 8

EL DESAFÍO DE LA CRISIS

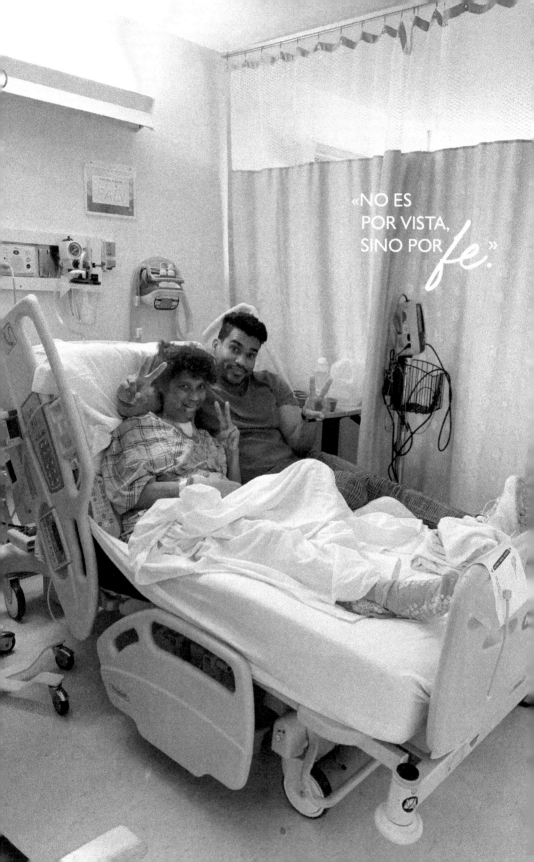

«NO ES POR VISTA, SINO POR *fe.*»

EL DESAFÍO DE LA CRISIS

DE CAMINO AL AEROPUERTO, entre maletas y logísticas, en ese preciso instante, recibí una noticia que golpeó profundamente mi corazón. Confieso que no derribó por completo mi ánimo ni mi fe, pero sí me empujó a una lucha mental. Si no fuera por la paz y la confianza en el poder sobrenatural del Espíritu Santo, hubiera considerado regresar a casa y postergar los conciertos que habíamos fijado para esa semana.

Sin embargo, sé bien en quién confío y cuál es mi lugar de asignación, por lo que esta noticia no me impidió que tomara mi avión y aprovechara esas horas de vuelo para escribir este capítulo y contarte el desafío que he atravesado durante mucho tiempo, motivándome a ser más dependiente de Dios en medio de la crisis y haciendo madurar mi confianza y fe en el Dios de los milagros.

Deseo que nuestro Padre use esta historia para ministrarte paz, y fortalecer tu vida en medio del desafío que posiblemente estés atravesando. Yo me siento bien, Dios está conmigo, y contigo también. Así que comencemos.

Quizás imagines que en este punto de mi vida y de mi carrera todo es perfecto; y que los éxitos y logros me han librado de situaciones difíciles, sin embargo, no es así. Dios nos pone a prueba y con ella podemos notar cómo está nuestra relación con Él, así como también evaluar cuánta fe y obediencia tenemos para el siguiente plan que Dios tiene para nosotros.

Te aseguro que cuando Él quiere bendecirte y llevarte de la mano a otro nivel de entrega, servicio, confianza y manifestación de su Espíritu, permitirá que pases por ciertos momentos difíciles, que aunque nublan nuestro panorama, perfeccionan la capacidad de vivir en carne propia lo que escuchamos todos los días, la insistente frase: «No es por vista, sino por fe».

En esta ocasión, eso me ocurrió a mí, pero de la forma que menos lo esperaba. Mi corazón experimentó incertidumbre por una llamada en la que me anuncian que mi madre necesitaba ser intervenida quirúrgicamente nuevamente.

Con esta terrible, repetida pero necesaria sensación, te describiré el proceso en el que durante muchos años Dios ha moldeado y perfeccionado mi fe, que, a pesar de tantas lágrimas, quejas y dudas, transitar por sus sendas misteriosas me han hecho abrazar Su Presencia para mantenerme de pie.

UNA REALIDAD QUE CONFRONTA

Todo inicia con una excelente relación entre madre e hijo. Desde que tengo capacidad de razonar, encontré en mi mamá un refugio, una mujer de fe, llena de oración, capaz de entregarlo todo por su familia. Es una de esas madres fuertes que en pocas ocasiones las ves llorar y siempre tiene una palabra certera en su boca.

Una de las cosas que más admiro de ella es que desde muy pequeño la he escuchado declarando, orando y estableciendo el Reino de Dios en nuestro hogar. Los pasillos de nuestra casa se llenaban de sus palabras de bendición y exaltación al nombre de Jesús, sin importar que fuera la madrugada, ella no detenía su oración por nada. Característica que hasta el día de hoy conserva. No sé si existan muchas madres así y, por eso, siempre he considerado un privilegio tenerla.

Mientras dormía, ella acostumbraba a ir a mi habitación y declarar palabras de bendición sobre mi vida diciendo frases como: «Señor, te entrego mi hijo, así como Ana te entregó a Samuel. Lo pongo delante de ti, dejo su vida en tus manos, cúbrelo, bendícelo y cuídalo, Padre amado».

Muchas veces pude escuchar sus momentos de oración y cómo era conmovida por la Presencia de Dios en su habitación. Era habitual para mí reconocer los sonidos de tanta pasión y entrega que desbordaba en su intimidad con el Padre. Sin embargo, una de estas noches marcó la historia de mi vida y me adentró en uno de los desafíos más significativos por los que he cruzado.

A pesar de que no recuerdo la razón por la que esa madrugada recorría los pasillos de la casa, sí recuerdo perfectamente el sonido de un desgarrador gemido que llamó mi atención. Con curiosidad caminé en busca del lugar de donde provenía ese quejido que no identifiqué como un tiempo de intercesión común de mi madre, sino que esta vez se percibía que algo le estaba originando una profunda tristeza.

Sorpresivamente terminé justo frente a la puerta de la habitación de mi madre, pero por ser de madrugada, se me hacía muy difícil interrumpir su espacio. Con mi conflicto entre no querer irrumpir en su privacidad y conocer lo que estaba sucediendo, me permití con valentía tocar a su puerta con un ligero y temeroso golpe, y decidí aguardar su pronta respuesta.

Esperé unos minutos, pero nadie respondió, por lo que tuve que insistir y tocar varias veces más. Hasta donde alcanzaba a escuchar, parecía que alguien se movía rápido dentro de la habitación, y en mi inquietud ya no pude esperar más, por lo que toqué más fuerte e incluso intenté abrir la puerta, sin poder lograrlo. Luego de varios minutos, ante mi insistencia, ella abrió y me preguntó: «¿Qué pasa?».

De inmediato supe que se había demorado en abrirme porque estaba intentando secar sus lágrimas para no permitirme verla en ese estado, sin embargo, evidentemente, su rostro me decía que algo estaba mal.

Con muchos nervios y piernas temblorosas le dije: «Mami, estás llorando, escuché que había gritos en tu habitación, ¿qué está pasando?». Fue muy duro para mí mirarla a los ojos, porque nunca había visto ese tipo de lágrimas. Nunca había escuchado ni visto a mi mamá llorar de esa forma. Aunque intentó mostrar su mejor cara delante de mí, lo que vi en ese momento ya no era el rostro alegre que yo conocía.

Con su mirada fija y un mar de pensamientos, esperaba recibir una respuesta. Sin embargo, ella solo me abrazó. Estos segundos se me hicieron años, fueron tan tensos que, con solo mirarla, brotaron lágrimas de mis ojos, sin saber qué sucedía.

Hasta que, en medio de un fuerte apretón, ella rompió el silencio y con voz quebrada me dijo: «Hijo, siempre he soñado con ver lo que Dios va a hacer en tu vida; siempre he soñado con ver tus hijos crecer. Mi gran anhelo siempre ha sido que Dios me dé la salud y la vida necesaria para poder disfrutar todas las bendiciones por las que he orado y muchos de mis anhelos se tratan de poder ver a plenitud el cumplimiento del propósito de Dios en tu vida».

Hasta aquí todo parecía incierto y conmovedor, pero su respuesta no aclaraba del todo la noticia que yo estaba esperando que respondiera. Por lo que después cerró su amorosa declaración de madre con una terrible frase: «Me diagnosticaron cáncer».

Normalmente, ante este tipo de noticias, la primera reacción es explotar en llanto, gritar, quejarse y darle vueltas al peor pensamiento que nos dice: ¡Se aproxima la muerte!

Sin embargo, al escuchar esto, sentí cómo el Espíritu Santo vino sobre mí y me trasladó a un recuerdo ocurrido muchos años atrás, donde había sucedido algo parecido, pero mi madre y yo teníamos papeles distintos.

Un viaje de pensamientos me colocó en mi niñez, donde recuerdo a un médico dándome un diagnóstico negativo de mi salud. Aunque esto sucedió hace años, todavía recuerdo ese momento como si fuera hoy, cuando ella respondió con una fe agresiva anulando el resultado desfavorable que había notificado el doctor.

Ella se puso en pie, llena de fuerza, y le dijo: «¡Pues mire, lo que se cumplirá en la vida de mi hijo Robert ni se acerca a lo que usted ha dicho de él! Lo que sucederá en su vida es lo que Dios ha dicho. Será un profeta a las naciones, luz en la oscuridad y una voz que anuncie la salvación en Dios. Mi hijo es vida y no muerte, así que, ¡no acepto su diagnóstico!».

Recuerdo que esa palabra llegó a mí mente con esa misma intensidad, y con el denuedo del Espíritu fijé mi mirada en su rostro y repetí esa misma escena vivida muchos años antes diciéndole: «Mami, lo que se cumplirá en su vida no es lo que un médico ha dicho sino lo que Dios ha dicho, y lo que Él ha declarado es vida, es luz, es bendición y no maldición, ni muerte».

Aun cuando era una realidad lo que estaba sucediendo en el cuerpo de mi madre, no era la verdad absoluta por la que estábamos confiando.

Retomamos nuestro abrazo y comenzamos a llorar, no por miedo, sino por el conmovedor momento en que pronunciamos el nombre de Jesús y un torrente de esperanza se vertió sobre nosotros. Aunque nuestra alma se sentía muy triste, ella estaba siendo entrenada para iniciar un viaje de muchas pruebas surgiendo desde la afirmación de lo que Dios había dicho y no de lo que los doctores decían.

Aprendimos a reposar e incrementar nuestra confianza en el Dios de milagros en medio del proceso. Hasta el día de hoy, ella ha sido operada más de doce veces en los últimos dieciséis años que lucha con este diagnóstico, y en todas las cirugías hemos visto la mano de Dios intervenir.

En medio de todo lo que Dios estaba haciendo con el ministerio y el privilegio de permitirme ir por las naciones llevando Su mensaje, declarando sanidad y viendo milagros suceder, había un milagro que aún no había ocurrido en casa.

He visto a Dios obrar milagros a través de mi adoración que ha provocado el mover de Su mano. Aunque fue muy hermoso conocer tantos testimonios de personas que manifestaron ver su respuesta milagrosa, no entendía cuánto tiempo debía ser mi espera por lo que estaba pidiendo. Con esto entendí que la voluntad de Dios es soberana y Él decide el tiempo preciso en que veremos su favor.

«CUANDO APRENDEMOS A DEPENDER
DE DIOS, NO PRETENDEMOS VER EL
MILAGRO AL DÍA SIGUIENTE, SINO
QUE ESPERAMOS PACIENTEMENTE LA
RESPUESTA DE SU VOLUNTAD.»

EL AGUIJÓN DEL PROCESO

Sin importar cuánto Dios te use, eso no te asegura que contigo tendrá un trato especial, ni te hará intocable o exclusivo, sino que permitirá circunstancias que sacarán lo mejor de ti, como le ocurrió al apóstol Pablo. Me identifico con el proceso donde describió que había una situación que lo afligía, la cual comparó con un aguijón en su carne permitido para que aprendiera a tener gozo en medio de su angustia. También relata que a pesar de que varias veces le pidió a Dios que se lo quitará, Él no lo hizo (2 Corintios 12:7-10).

Esto me impresiona, porque evidentemente el Señor nos demuestra que estas situaciones negativas son necesarias con tal de mejorar algo en nosotros, y ser dignos habitantes de Su Reino. El texto de Hechos 14:22 dice: «confirmando los ánimos de los discípulos, exhortándoles a que permaneciesen en la fe, y diciéndoles: Es necesario que a través de muchas tribulaciones entremos en el reino de Dios». Aunque no se conoce con exactitud qué era lo que afligía a Pablo, su ejemplo nos hace ver que Dios permitía esta situación para perfeccionar algo en él.

En mi caso, este aguijón que me agobiaba fue el dolor y la extensa enfermedad de mi madre, que, sin importar las plataformas, conciertos y naciones, Dios estaba tratando a solas con mi dependencia, confianza y fe, en la intimidad de camerinos y hoteles donde me sentía expuesto a que en cualquier momento recibiría una trágica llamada.

Al recibir esta palabra, de cierta manera logré explicar la razón por la que Dios, sin importar todo lo que me estaba permitiendo vivir a través de mi llamado, quería trabajar mi corazón. En momentos como estos no somos capaces de ver lo «bueno» de una situación difícil, sin embargo, Dios en Su palabra nos repite insistentemente que todo esto es necesario. Así que te regalaré diferentes versículos que me han acompañado en momentos donde no alcanzo a entender la magnitud de mi proceso y lo que debo hacer en medio de este.

«Amados hermanos, cuando tengan que enfrentar cualquier tipo de problemas, considérenlo como un tiempo para alegrarse mucho porque ustedes saben que, siempre que se pone a prueba la fe, la constancia tiene una oportunidad para desarrollarse. Así que dejen que crezca, pues una vez que su constancia se haya desarrollado plenamente, serán perfectos y completos, y no les faltará nada» —Santiago 1:2-4 (NTV)

«Dios bendice a los que soportan con paciencia las pruebas y las tentaciones, porque después de superarlas, recibirán la corona de vida que Dios ha prometido a quienes lo aman» —Santiago 1:12 (NTV)

«Así que alégrense de verdad. Les espera una alegría inmensa, aunque tienen que soportar muchas pruebas por un tiempo breve. Estas pruebas demostrarán que su fe es auténtica. Está siendo probada de la misma manera que el fuego prueba y purifica el oro, aunque la fe de ustedes es mucho más preciosa que el mismo oro. Entonces su fe, al permanecer firme en tantas pruebas, les traerá mucha alabanza, gloria y honra en el día que Jesucristo sea revelado a todo el mundo» —1 Pedro 1:6-7 (NTV)

Quienes han atravesado la experiencia de estar cerca de personas con esta enfermedad, conocen el resultado final de un cáncer avanzado, que en el caso de mi madre era de grado 4. Sin embargo, al reconocer que era Dios quien estaba trabajando conmigo, comencé a gloriarme en mi proceso, porque, aunque hubiera incertidumbre acerca del final de tal enfermedad, Dios se estaba glorificando, tanto en formarnos integralmente, como en el milagro de ver levantarse a mi madre después de cada cirugía.

Hasta el día de hoy, Dios nos ha fortalecido y permitido ver su milagro cada día que mi madre logra despertar. Esto nos llena de gratitud por ver su mano y favor cada mañana. Hay una frase que aprendimos del reconocido adorador Julio Melgar, quien atravesó un proceso similar de cáncer, y a pesar de que partió con el Señor luchando con esta enfermedad, nos dejó una gran lección de gratitud al decir: «Pedimos un milagro, cuando el milagro sucede todos los días».

En la actualidad, muchas personas solo ven a grandes ministerios viajando a las naciones sirviendo a Dios y esto les hace pensar que estos están libres de dificultades, procesos o situaciones difíciles, sin saber que todo esto amerita que deban atravesar ciertas situaciones para permanecer de pie con su llamado.

Quizás la crisis que atraviesas te ha llevado a dudar, desconfiar, incluso a pensar que Dios se olvidó de ti. Lo cierto es que la desesperación te lleva a magnificar lo que negativamente estás viviendo a través de quejas, dudas, etc. Por el contrario, esta situación solo ha venido para producir algo mayor dentro de ti, para creer que lo mejor está por venir, perfeccionando tu capacidad de resistir, sabiendo que todo lo que vivimos es temporal y no estamos destinados a un final desfavorable, sino, a un destino glorioso. «Porque esta leve tribulación momentánea produce en nosotros un cada vez más excelente y eterno peso de gloria» (2 Corintios 4:17 RVR 1960)

En un momento difícil, el salmista David escribió: «Pacientemente esperé en Jehová, y se inclinó a mí y oyó mi clamor» (Salmo 40:1 RVR 1960). Muchos esperan de Él solo las bendiciones y lo que públicamente los hace ver exitosos, ignorando por completo el tiempo de espera en medio de la prueba que Él permite para perfeccionarnos.

De la misma forma que un músculo crece a través de un proceso de resistencia en el ejercicio (que puede ser doloroso), así es la fe. Ella es perfeccionada y aumentada a través de la resistencia, al atravesar diferentes circunstancias, donde todo te obliga únicamente a poner tu esperanza en las promesas de Dios. Y así como tu cuerpo es sometido cada vez a más peso o presiones para hacerlo crecer, de la misma forma Dios te hará atravesar situaciones cada vez más difíciles de sobrellevar para incrementar tu confianza y descanso en Él.

Es parecido a un videojuego, donde cada nivel al que logras acceder se va haciendo un poco más complicado, obligándote a buscar estrategias, vidas y capacidades para poder superarlo. Así es nuestra vida como cristianos, mientras mayor es la magnitud del lugar donde Dios quiere llevarnos, así será la prueba que te entregará para sacar lo mejor de ti.

Tu relación de confianza con el Padre debe incrementarse. Si tu deseo es que Él te confíe grandes lugares para llevar Su mensaje, primero tendrá que asegurarse de que tú confiaste ciegamente durante tus pruebas y procesos.

Esto no hace a Dios malo, por el contrario, Él nos dice: «Porque yo sé muy bien los planes que tengo para ustedes —afirma el Señor—, planes de bienestar y no de calamidad, a fin de darles un futuro y una esperanza» (Jeremías 29:11 RVR 1960)

Aun cuando atravesamos situaciones tan rudas que no se parecen a los planes que Dios dice tener para nosotros en Su Palabra, no podemos quejarnos, ni mucho menos permitirle al enemigo que nos señale para hacernos sentir culpables, creando el tonto pensamiento de que hicimos algo malo para merecer ese terrible presente. Con toda autoridad y amor te digo: ¡No le creas! Pues ni tú, ni aún el enemigo, sabe el final de tu situación y algo puedo asegurarte con todo mi corazón: ¡Dios no es mentiroso! Y cumplirá los planes de bien que tiene para tu vida.

Así como lo permitió en la vida de José, para probar qué tan fuerte podía ser, lo hará contigo. Toda crisis te dará la oportunidad de creer ciegamente y en tu estado final podrás darle gloria a Dios en gratitud. Pues Él siempre vio lo que tú no pudiste ver.

LA ENSEÑANZA DEL PROCESO

En mi momento de mayor angustia y crisis por la situación de mi madre, tuve que decidir entre llorar, desistir, maldecir a Dios, decir que es injusto, o levantar mis manos y adorarle en medio del proceso.

Mi situación no me impidió seguir con mi llamado. Durante meses continué viajando y cantando con esa incertidumbre en muchos conciertos de diferentes países, pero a la vez, con un silencioso y apasionante momento de intimidad con el Señor que me inspiraba a clamar diciendo: «Yo sé que vas a hacer un milagro, sé que tú eres fiel para con mi familia y si tuviste el poder para sanarme años atrás, y si he recibido cientos de testimonios de milagros que has hecho a través de mi adoración, en este presente también creo que con ese mismo poder, sanarás a mi madre».

Han sido muchos los pronósticos negativos que le han dado a mi mamá, pero lo único en lo que he estado de acuerdo con los médicos es que ella es un milagro andante, pues reconocemos que hace mucho tiempo debimos verla partir, pero es hermoso saber que Dios aún no ha decidido llevársela de este mundo. Continuamente, a través de ella, hemos visto la manifestación del poder sobrenatural de Dios y, gracias a esto, en mi familia cada vez son más los que creen en la realidad del Dios de los milagros. ¡Aleluya!

En medio de las diferentes crisis, nunca he visto a mi mamá desfallecer, aún en medio de los peores momentos solo he visto una mujer fuerte y llena de fe.

Aun cuando el testimonio parte de los padecimientos de mi madre; ser su hijo no me excluyó de toda la crisis y la lucha mental con los temores que durante tantos años no han logrado derribarme. Esto me preparó para no rendirme y fortaleció mi fe para rechazar todo diagnóstico de muerte. Hoy puedo contarte que he visto la mano de Dios quebrantar lo imposible delante de mis ojos.

Ahora, cuando la veo, mi corazón ya no se aflige, sino que me regocijo en la obra que Dios ha empezado y en cualquier momento terminará. Mi madre nos da una gran lección a todos, que aun viviendo la mayor crisis de su vida, ella ha decidido adorar a Dios, en danza, en gozo y llenando su boca de alabanzas. Demostrándonos lo que es tener un verdadero corazón de adorador.

Si Dios hace el milagro completo, ¡Gloria a Él!, si no, de igual forma es glorificado, porque reconozco que de Él son los tiempos y las sazones (Hechos 1:7). Mi corazón hacia Él seguirá humilde, dispuesto a recibir lo bueno y lo que parece malo, a fin de que Él sea exaltado.

«LO MÁS IMPORTANTE EN UNA PRUEBA NO ES PASARLA LO ANTES POSIBLE, SINO DESCUBRIR LO ANTES POSIBLE QUÉ ES LO QUE DIOS QUIERE ENSEÑARNOS.»

UNA FE COMO LA DE ABRAHAM

María, mi madre, siempre representará un estandarte de fe, en el que podemos ver un ejemplo de no doblegar nuestra creencia. Sin importar lo que estemos atravesando, ella me recuerda cientos de enseñanzas y predicas que he escuchado asociadas a la historia de Abraham y todas están relacionadas a los procesos que atravesó para terminar convirtiéndose en el «Padre de la fe».

A pesar de que siempre me sentí identificado con la intención de Dios de hacer de este hombre un legado de entrega y sacrificio con una enorme descendencia; no fue hasta que lo experimenté en carne propia que pude darme cuenta cuán difícil fue el desafío de la crisis que atravesó Abraham para convertirse en un ejemplo admirable dentro de la Biblia (después de Jesús, el ejemplo perfecto).

Aprendí que llamarse «Padre de la fe» no es un título cualquiera, sino que cuando deseamos ser grandes figuras de la fe y marcar generaciones, sucederán ciertas situaciones internas que Dios tendrá que romper, quebrar, para hacerlas de nuevo, y a partir de allí convertirte en un hijo de Dios, con base y fundamento de saber en quién has creído.

Abraham atravesó diferentes desafíos en los que solo obedeció y con los cuales me identifico. Primero, Dios le pidió que dejara su tierra y su parentela, es decir, su zona de comodidad (lo cual hizo sin dudar). Luego, le pidió echar de su casa a su primer hijo Ismael con su madre. Por último, solicitó el sacrificio de Isaac en el altar, el hijo de la promesa, «a quien amaba». Y por lo que conocemos, estaba dispuesto a hacerlo.

Aun cuando no podemos comparar nuestra fe con la de este hombre, podemos entender que él debió pasar por diferentes crisis, una más difícil que la otra, y todas ellas parecían terminar con un final de muerte. Esto se hace similar a mi historia, y me atrevería a decir que las grandes cosas que se han cumplido a través de mi vida y ministerio se deben a la obediencia y confianza permanente en lo que Dios dice, entregando cualquier cosa que nos pida. Sin importar cuántas crisis más deba enfrentar donde sienta de cerca la muerte, sé, que como Abraham, mi adoración y obediencia marcarán las futuras generaciones.

Dios permitirá situaciones difíciles en nuestra vida para que aprendamos a entender que no dependemos de nosotros mismos, sino de Su gracia. Job pudo maldecir a Dios, pero nunca lo hizo pese a que le fue quitado todo lo que tenía. Parte de administrar fielmente una vida de bendición es reconocer la inescrutable soberanía del Creador.

Tú que estás del otro lado de estas páginas me dirás: «Robert, es que tú no conoces mi prueba». Ciertamente no sé por lo que estás pasando, pero puedo decirte que aprendí que, si mi madre tiene la capacidad de levantarse, tú y yo de igual manera podemos descansar en el Señor, sin importar la leve y momentánea tribulación que atravesemos.

Mi madre es una guerrera de Jehová. Fuerte como un roble y con la voluntad de hierro siempre orientada a confiar en Dios sin importar las circunstancias. Hoy tengo la oportunidad de testificar lo que Dios ha hecho y créeme que, si tú logras encontrar nuevas fuerzas en mi historia, y notas que en la misma hay algo que te impulsa a creerle a Dios cada día más, esta será la mejor recompensa que podría recibir después de haber superado cada uno de nuestros procesos.

El campo de batalla para la guerra espiritual está principalmente en tu mente, si logras salir victorioso, experimentarás la paz y la confianza plena de saber, sin importar lo que puedan ver tus ojos, de que Dios está contigo, y Él tiene el control de todo.

Mi madre ha sido un ejemplo para sus tres hijos, y este capítulo se lo dedico, como símbolo de honra y respeto por lo que ella es. No hay manera especial en la que pueda pagar todo lo que ha hecho por mí, desde la forma en la que me ha criado y apartado por sus oraciones, hasta las largas madrugadas que me permite estar en sus procesos, para vivirlos de cerca. Todo esto me suma, por todo esto le agradezco a Dios.

Hoy puedo caminar en medio de la crisis con una fe fortalecida al ver el ejemplo de mi madre «la vencedora». Jamás dejaré de hablar de un Dios que me ha permitido a través de ella entender la más grande lección que he recibido: el Padre nos acompaña en medio del desafío de la crisis.

Reflexionemos juntos

Cuántas veces hemos escuchado hablar de la fe, e incluso hemos declarado tenerla como parte de nuestro inventario espiritual. Sin embargo, la fe es una semilla que necesita de tierra para crecer y desarrollarse, y para eso primero debe romperse y así surge lo que hay en su interior. Los tiempos de crisis son como la tierra donde uno debe depositar la fe para quebrarnos y luego ver los frutos. El Señor nos advirtió que en el mundo tendríamos aflicción; pero que debíamos confiar, tener fe, porque Él ha vencido al mundo.

1– ¿Estás atravesando un tiempo de enfermedad, dificultades económicas, problemas familiares?

2– ¿Reconoces que hay en tu vida una semilla de fe?

Quizás lo que estés viviendo no sea sencillo, y puedo entenderlo porque, como leíste en mi capítulo, crucé ese valle de dolor y aún lo sigo cruzando, pero deseo animarte a que al igual que mi mamá, siembres tu semilla de fe y confíes en que Dios está en control de todas las cosas. Y, recuerda que Dios también está caminando contigo en el desafío de la crisis.

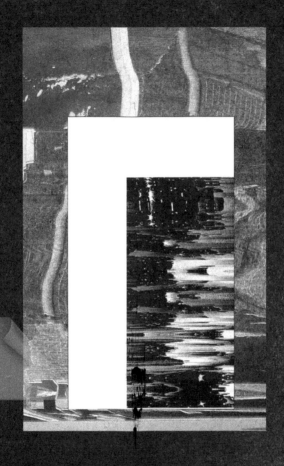

Dormir, cantar y viajar

Dios NO TE ABRIRÁ LAS PUERTAS
SI SOLO TIENES EL DESEO DE
OBTENER LOS BENEFICIOS SIN EL
COMPROMISO QUE ÉL DEMANDA.

DORMIR, CANTAR Y VIAJAR

DURANTE MUCHO TIEMPO fui parte de aquellos que admiraban ver cómo reconocidos ministros viajaban recorriendo el mundo llevando su música o sus conferencias. Y como un joven lleno de sueños puestos por Dios en el corazón, no puedo negar que me atraía lo divertido e interesante que se veía viajar por muchos lugares haciendo lo que a uno le gusta.

En vista de que no cantaba para el mundo, sino que lo hacía para Dios, me parecía atractivo ese estilo de vida y al mismo tiempo que muchos notaran lo que era capaz de hacer con mi talento. Mientras crecía y maduraba pude darme cuenta de que ser un siervo de Dios no solamente llevaba consigo las recompensas de conocer otros países y a otras personas, así como tener un tiempo determinado en un escenario, en una ciudad, un evento o un congreso, sino que el servicio a Dios va mucho más allá que todas estas bendiciones.

No puedo negarte que admiraba más el estilo de vida que el compromiso que un ministro debe llevar. Siempre me enfocaba en mirar lo divertido que parecía cantar frente a miles de personas de diferentes partes del mundo, ser reconocido y admirado por el público. Me parecía atractiva la manera en la que ministros destacados llevaban la Palabra de Dios.

Como nací en una casa pastoral, nunca había visto el ministerio de otra forma, por lo que mis primeras motivaciones se basaban en querer demostrar mis capacidades en el canto. No me había tomado un tiempo para pensar qué debe hacer un ministro para que Dios lo lleve a las naciones. Aquí fue donde me estanqué por mucho tiempo, porque mis aspiraciones se sustentaban en los beneficios de servir a Dios, mas no en el compromiso que debía tener para lograr esa recompensa.

Si no te saltaste los capítulos anteriores, habrás leído algunos de los procesos por los que he tenido que atravesar para que se haga realidad en mi vida esto de dormir, cantar y viajar.

DETRÁS DEL TELÓN

Cuando era aún mucho más joven, soñé con este presente desde una posición inmadura. Actualmente esto le está sucediendo a muchos jóvenes que se ven motivados por lo que se ve, desconociendo las responsabilidades, compromisos y sacrificios que hay detrás del telón. Sí, se ve muy divertido, pero quiero decirte que para que esto suceda debemos estar muy preparados, porque si no, ya no será tan «divertido».

Dormir, cantar y viajar es una expresión atractiva a simple vista, pero si realmente lo queremos, debemos tener un gran compromiso con Dios, de lo contrario, estaríamos poniendo una carga sobre nuestros hombros que es imposible de soportar. Además, para que todo esto pase, debemos estar en los caminos correctos del Señor, temerle, escucharle y que nuestra mentalidad sea de servicio hacia Él y no hacia el hombre. Si no le tememos, guardamos sus mandamientos, ni escuchamos su voz, y si nuestra misión no es servirle, no podremos lograr ninguna de estas cosas, porque primeramente

Él nos prepara, y una vez tengamos el corazón correcto, nos las entrega.

Hacer realidad todos estos anhelos lleva consigo muchísimas responsabilidades. Dormir, cantar y viajar son palabras que fácilmente se dicen, pero cuando asumimos el reto con un corazón maduro y el carácter correcto, difícilmente se viven.

Fijar mi atención en lo que los siervos de Dios logran con sus viajes y experiencias no me permitió percatarme en el sacrificio que hay detrás de eso. Cualquiera puede viajar, pero es Dios quien nos califica para confiarnos sus planes y que esto no dañe nuestro corazón.

Si eres un soñador y sientes que Dios te llamó a servir en el ministerio a tiempo completo y te prometió naciones, y aunque estás trabajando en ello, no ves nada, deberías preguntarte: ¿Soy aprobado por Dios? ¿Cómo puedo ser calificado por Él?

Ante estas preguntas, personalmente me respondo: la única forma de serlo es comprometiéndonos con Sus propósitos. Dios tiene planes y sueños preparados para todos, pero quizás no todos logremos alcanzarlos, pues esas bendiciones están disponibles solo para aquellos que se comprometen a servirle incondicionalmente, aquellos que se atreven a caminar en sus caminos y a tener a Dios en el corazón por encima de todo, a los que valientemente guardan sus mandamientos y lo obedecen sin esperar nada a cambio.

Dios pensó muchísimas cosas para nosotros, pero nos permite desarrollarlas y vivirlas conforme a la madurez que tengamos. Uno de los ejemplos que a veces uso en mis conferencias o prédicas está asociado a las universidades, escuelas, institutos de preparación, colegios de abogados y oficinas gubernamentales, que cuando necesitan que una persona represente a la institución, siempre evalúan quién es la mejor preparada para tal tarea.

Cuando se trata de representar a una institución universitaria, van a confiar más en un profesor que en un alumno. Quizás puedan enviar a un alumno sobresaliente que se haya sacrificado, estudiado y esforzado, pero nunca escogen a alguien que no esté capacitado en los conocimientos necesarios para representar eficientemente tal organismo.

Muchos empleados, alumnos o profesores quizás puedan sentir celos, incluso envidia de aquel que fue seleccionado, pero su posición destacada la obtuvo por sus esfuerzos y sacrificios al capacitarse, y no todos están dispuestos a pagar ese precio.

Aquellos que se han preparado de forma sobresaliente, poseen las actitudes y aptitudes necesarias, y además muestran calidad en su trabajo, serán elegidos para representar a su institución.

Ninguna empresa cometerá el error de enviar a alguien que pueda avergonzar el prestigio de la compañía, sino que se ocupará de preparar eficientemente a alguien capaz de hacerlo de la mejor manera. Así mismo opera Dios.

Él tiene planes para cada uno de nosotros, pero debemos dar fruto delante de Su Presencia, no ante los hombres. El principio de todo es el temor a Dios y cuidarnos de tener un corazón vanidoso o egoísta, más bien buscar estar preparado para que la voluntad de Dios se cumpla en nosotros. Nuestra prioridad debería ser un vaso de honra donde Dios pueda depositar lo que quiera y podamos ser mensajeros eficientes del mensaje de salvación.

«LA ATENCIÓN PÚBLICA ES EL MEJOR ESCENARIO PARA MORIR A NUESTROS DESEOS DE RECONOCIMIENTO Y REVELAR QUE NO SOMOS EL MENSAJE, SINO SOLO EL MENSAJERO.»

En Su Palabra, Dios nos da este maravilloso consejo: «Esfuérzate para poder presentarte delante de Dios y recibir su aprobación. Sé un buen obrero, alguien que no tiene de qué avergonzarse y que explica correctamente la palabra de verdad» (2 Timoteo 2:15 NTV)

Nuestro Padre busca muchas formas de prepararnos, pero en ocasiones no estamos dispuestos a afrontar ese compromiso, sino que estamos simplemente motivados por los beneficios que podemos tener al llevar la Palabra de Dios.

La vida de un ministro no es tan fácil como muchos creen. El ministro debe tener una comunión constante, porque es la única forma de ser uno con el Padre y aprobado para su misión. Si somos hijos de Dios y llevamos Su Palabra, debemos escucharlo, porque si no vamos a actuar por nuestra propia voluntad y es ahí donde empezará nuestra ruina y el inicio de muchos errores.

El siervo que tiene el compromiso debe aprender a escuchar la voz de Dios para poder llevar el mensaje limpio, puro y verdadero a esta generación. El hombre que ama al Señor debe comprometerse a vivir una vida en santidad, cerca de Dios, porque somos el instrumento que Él usa para llevar Su Palabra al pueblo y si algo no está bien con nosotros, no solo se notará, sino que forzaremos nuestras emociones a hacer que algo suceda, ignorando y despreciando la esencia y el mover genuino del Espíritu Santo.

La Escritura dice: «por sus frutos lo conoceréis» (Mateo 7:16 RVR 1960). Te lo repito, Dios nos califica. Si queremos estos beneficios y todo lo que aparenta ser divertido, debemos tener un firme compromiso. Él es quien nos envía. Una vida consagrada precede al ir por las naciones, una vida de intimidad con Dios nos capacita para administrar Su gracia, y cuando el Señor deposita Su gracia en nosotros, fluirá sobre las demás personas, sin forzar nada. Esa gracia va a ser nuestro representante, la que nos califique y envíe.

Mucha gente tiene el deseo de ir a las naciones, pero no necesariamente está preparada para representar el Reino de Dios, y Él no está dispuesto a enviar a alguien para que lo ponga en ridículo.

Las naciones también tienen representantes que dan la cara por valores, principios, leyes y fundamentos del país que representan, estos son llamados «embajadores». Quizás tú no alcances a representar el país donde naciste, pero sí eres llamado a representar a Cristo en las naciones, por lo que debes procurar estar capacitado en la persona de Cristo, lo que Él es y puede hacer.

«Así que somos embajadores de Cristo; Dios hace su llamado por medio de nosotros. Hablamos en nombre de Cristo cuando les rogamos: "¡Vuelvan a Dios!"» (2 Corintios 5:20 NTV).

No seas de los que se envían a sí mismos y lamentablemente terminan avergonzados, pues no encuentran puertas abiertas, porque están cerradas. Algunos me preguntarán: Si estoy invirtiendo mi dinero, mi tiempo y mi talento en servir a Dios ¿por qué no ocurre nada? A lo que respondo con mucha humildad y amor que, Dios no te abrirá las puertas si solo tienes el deseo de obtener los beneficios sin el compromiso que Él demanda.

«DIOS NO NOS HA LLAMADO
A SER CELEBRIDADES.
¡ÉL NOS HA LLAMADO
A SER SUS SIERVOS!»

NO TODO ES TAN SIMPLE

Dormir, cantar y viajar, eso pensaba yo. No fue hasta que empecé a tener mis primeros viajes donde aprendí que, a pesar de que todo era tan emocionante como la experiencia de tomar un avión, comer, cantar, conocer diferentes países y culturas, sentía que cuanto más me ocupaba de servir a Dios, las responsabilidades se hacían mayores, por lo que cada vez ameritaba un mayor nivel de compromiso.

Con el transcurso de los días, los itinerarios empezaron a verse más cargados y ajetreados. Todo esto que al principio se veía muy bonito, como aviones, conocer ciudades y personas, ya no lo era tanto. Era hermoso ver la recompensa de muchas almas convertidas a Cristo en cada noche de adoración, pero el estilo de vida detrás de esto, no era cómodo. Lo que la gente ve por las redes sociales es lo lindo, en ocasiones asumen que todo es perfecto, cuando la verdad es que todas estas experiencias también llevan consigo dificultades.

Para que puedas imaginar lo que te estoy contando. Voy a describirte un itinerario de viaje, de los más pesados que me ha tocado vivir.

Salir de República Dominicana a las 4:00 am y arribar a Atlanta a las 10:00 am. Salir de Atlanta a otra ciudad para llegar al mediodía. A las 3:00 pm ingresar al hotel, para luego ir a la prueba de sonido, programas de radio y regresar nuevamente al hotel para tomar una ducha y salir para el concierto. Finalizar el concierto y tomar otro avión, para ir a otra ciudad a hacer lo mismo. Aterrizar en esa nueva ciudad a las 6:00 am, previo a dormir tres o cuatro horas en el avión. Llegar a hacer entrevistas, posteriormente hacer la prueba de sonido, y en la noche, cantar. Hemos vivido esto repetidas veces. En el tiempo que tengo en el ministerio Barak he visitado aproximadamente doscientas ciudades en todo el mundo. Han sido más de 100 viajes por año.

Es hermoso compartir la Palabra de Dios, pero cuando lo hacemos con propósito, de lo contrario todo es muy deprimente, pues el corazón se seca, la alegría se va del rostro y llega la nostalgia y el cansancio, junto con el deseo de ver a tus seres queridos, así como el de ser una persona normal que está continuamente en su casa, libre de compromisos.

Si desde un principio no estamos verdaderamente preparados para saber qué haremos, o la razón por la cual somos enviados, puede que nuestro mayor deseo de un momento al otro sea nuestra mayor frustración cuando se hace realidad.

No hay nada que te llene más de tristeza que cuando tienes que tomar un vuelo cansado, en ocasiones sin comer, pero aun estando muy agotado, debes dar el cien porciento para unirte a una multitud sedienta por Dios al danzar y cantar.

Esto me lleva a analizar cómo en la vida artística secular hay tantas tragedias de suicidio. Grandes artistas como Whitney Houston, Avicii, Robin Williams, Kurt Cobain, y otros, que estaban en la cúspide de sus carreras y con itinerarios muy demandantes, tomaron la decisión de quitarse la vida. Ser un artista se trata más de dar, que de recibir. La única forma de llevar este estilo de vida es sabiendo que, si Dios no te envía, es imposible llevar ese ritmo de manera sostenible. Por este motivo los cantantes seculares se refugian en las drogas, los aplausos, las personas, incluso en el dinero. Pero cuando todo esto se va, queda un vacío que solo Dios puede llenar.

Es muy linda la admiración y el afecto de las personas a tu alrededor, pero confieso que en algunas oportunidades no he estado en mi mejor momento, pues aún despeinado o a pocos minutos de haber despertado, se me acercan pidiéndome una fotografía. En cada lugar que visito, personas que ni siquiera conozco buscan entablar una conversación conmigo, para conocer mi vida, y no pienso que esté mal hacer nuevos amigos, pero cuando esto sucede varias veces al día se vuelve demandante y agotador, ya que debes mostrar siempre la mejor faceta de amabilidad por causa del llamado que representas.

Todos estos detalles van llenando tu corazón de preocupación y si verdaderamente no hay una visión, si solamente estamos para exhibirnos nosotros, o al final el aplauso es la ganancia que queremos obtener, eso no llena el corazón, no quita el cansancio, no calma la ansiedad, ni llena el vacío que solo completan Dios y la familia.

Creo que es una de las razones por las que hay tantos artistas que no conocen a Cristo, toman malas decisiones, pues todas estas cargas llegan a su corazón, hundiéndolos en momentos donde no quieren saludar a nadie, no quieren cantar, hasta sentir el deseo de no querer vivir.

Hay días en los que me he sentido agotado por muchas horas de vuelo, momentos donde tal vez no comí ni dormí bien, sin embargo, debo continuar pues tengo un compromiso que cumplir. Si no fuera por la fortaleza que Dios me da, viviría lleno de impotencia. Pero no tengo opción, Dios lo eligió para mí, incluso fue lo que soñé y ante las dificultades que se presentan debo valorar siempre lo hermoso de esta bendición, y no permitir que se convierta en una fuente de frustración.

He aprendido que dormir, cantar y viajar es la parte linda que la mayoría puede percibir externamente, pero detrás de todo eso hay una madurez que debe ir acompañada de un compromiso relacionado con obedecer la voz de Dios. Ahí es donde Dios se fortalece en nuestra debilidad, en esos momentos cuando estás triste y solo en tu cuarto, si eres un íntimo y calificado de Dios, Él te recordará cuál es tu misión.

Cuando tienes un objetivo, Dios multiplica tus fuerzas, no para tratar de agradar a las personas o recibir aplausos, sino de ministrar salvación y sanidad. El Espíritu Santo te da vida cada día. Cuando somos calificados y preparados, Él mismo se ocupará de respaldar la misión que te ha otorgado.

DIARIO DEL VIAJERO FRECUENTE

Los itinerarios son extensos y se esconden muchísimas cosas detrás, como vuelos eternos, días completos sin comer, pérdidas de maletas, retrasos de vuelos. En ocasiones los equipos de sonido seleccionados no llegan a tiempo al lugar del concierto. En algunos países no hemos podido tomar el avión por la gran delincuencia en esas zonas. Hemos llegado a naciones donde hemos sido maltratados por el racismo, entre otras cosas.

Una de las peores situaciones que me ha sucedido es que después de una jornada ajetreada, me levanté muy temprano, tomé un vuelo a un país (cuyo nombre me reservaré) y cuando llegué, todos mis compañeros del grupo ingresaron y por un detalle que tenía mi pasaporte me enviaron de regreso a mi país. Podrás imaginarte el escenario. Todas las personas esperaban a Barak, con el montaje y el sonido listo, pero el cantante había tenido que regresar a su casa. Eso sí que fue muy difícil y vergonzoso.

En otra ocasión, vivimos también una situación complicada. Salimos de República Dominicana, y tomamos un vuelo en escala, haciendo migración en Estados Unidos, lo que nos llevó más de tres horas realizar el trámite. Por lo tanto, perdimos el avión que hacía conexión a nuestro siguiente destino y el único vuelo que estaba disponible llegaba justamente sesenta minutos después de la hora fijada para el concierto. Al ser la única alternativa, la tomamos y llegamos a esa ciudad a las 12:30 de la noche. ¡Qué día tan especial! Salimos casi a las seis de la mañana y llegamos dieciocho horas más tarde. Nos presentamos en el concierto con la misma ropa con la que viajamos y sin la oportunidad ni siquiera de tomar una ducha. Así tuvimos que ministrar. Al final lo recuerdo como una hermosa anécdota, porque más allá de las altas horas de la noche, las personas no se fueron a sus hogares, sino que nos esperaron para adorar juntos.

Acá no queda todo, me reservé para el final la parte menos agradable de este llamado, que ocurre cuando tengo que viajar a cualquier parte del mundo y dejar por varios días a mi esposa y a mis hijos. Estar sin mis bebés es una de las cosas que más me duelen al momento de salir de casa.

Por la suma de compromisos adquiridos me he perdido de participar de muchos cumpleaños, graduaciones del colegio, primeros días de clase, aniversarios de matrimonio... ¡Vaya! ¿Me creerías si te contara que no llegué a tiempo al nacimiento de uno de mis hijos porque coincidió con compromisos de gira? ¿Qué tal si te digo que aún estamos resolviendo papeles de registro, ya que uno de ellos no tiene mi apellido porque no logré llegar a tiempo para su inscripción al nacer? Sin embargo, no me preocupa que algún día mis pequeños miren hacia atrás y recuerden que papá no pudo estar en momentos importantes, porque cada oportunidad que tengo los reúno para contarles acerca del compromiso que tenemos todos de llevar la Palabra de Dios, y que aunque papá no siempre esté en casa, todos formamos parte del propósito del «por qué hago lo que hago».

Todos los días le doy gracias a Dios porque mis niños, a pesar de extrañarme mucho, lo han entendido y han seguido mis pasos y los de mi esposa, para prepararse en el ministerio, amar al Padre por sobre todas las cosas y predicar el Evangelio.

De todas maneras, no puedo negar que a veces lloro cuando estoy de viaje y uno de mis chiquitos me dice que me extraña, o por una llamada me pregunta: «Papá, ¿cuándo regresas a casa?».

En una ocasión, me partió el corazón cuando regresé de una larga gira y mis hijos me recibieron con mucha alegría después de varios días de extrañarme, para luego recibir la noticia de que tenía que volver a viajar al día siguiente. Al momento de contarles que a la mañana temprano debía volver a irme, ellos se pusieron muy tristes y no entendían cómo era posible que ya me fuera si acababa de llegar. ¡Esto es doloroso!

Ana, mi amada esposa, no siempre se lo toma muy bien, pero al final de cuentas me reconforta y me alienta. Todos los días me recuerda que nuestra familia cumple un propósito, que quizás sea a mí a quien el Señor ha enviado a hacer un trabajo que tiene impacto en el Reino, pero a final de cuentas ella sabe que, aunque sea yo quien deba viajar lejos, el sacrificio que estamos haciendo como familia es lo que cambia la vida de muchas personas. Dios no pudo darme una mejor esposa y ayuda idónea, tan comprensiva, entendida y que ama a Dios por encima de todas las cosas. Esto me enamora cada vez más de ella, porque puedo salir de casa confiadamente, sabiendo que queda a cargo una persona madura, responsable y que sirve a Dios guardando el hogar si yo estoy lejos.

Por supuesto, mi esposa y yo mantenemos una comunicación constante. A menudo, me dice lo importante que soy en la casa y la forma en la que los niños cambian y se comportan cuando yo no estoy. Cada día mejoramos como familia y como hogar, a pesar de no tener el ritmo de vida de una familia común. Es un hermoso privilegio y gran regalo ser instrumentos de Dios. Cada sacrificio que hacemos vale la pena porque nuestros hijos ven el ejemplo y con esto se inspiran a servir a Dios desmedidamente. Quizás sacrificamos mucho tiempo de estar juntos, pero cuando compartimos como familia le damos gracias a Dios por el privilegio de usarnos como sus instrumentos para darlo a conocer al mundo.

Algo que debo explicarte es que quizás no todos están preparados para esto. Mi matrimonio ha tenido que madurar mucho, mi esposa y yo hemos orado sin cesar para que nuestro hogar esté fundamentado sobre la roca, y que ninguna circunstancia pueda tumbarlo. Si tú tienes un llamado de parte de Dios debes entender que Dios no pondrá ese ministerio por encima de tu familia, sino que todo obrará para crecimiento de esa unión.

En mi caso muy particular, nos hemos ocupado en fundamentar las bases de nuestro hogar en Cristo y el primer lugar después de Dios lo tiene mi familia. Ana y yo hemos entendido que ha sido un llamado específico de sacrificio con el entendimiento de que Dios es quien sostiene y sustenta nuestro hogar.

«NO IMPORTA LOS DESAFÍOS QUE ENFRENTEMOS, ES UN PRIVILEGIO SER EMBAJADOR DEL REY Y QUE TU CASA MANTENGA ESE LEGADO.»

EL COSTO DEL SERVICIO

Si servir a Dios no nos costara, algo no estamos haciendo bien. Como hijos de Dios debemos valorar lo que ha puesto en cada uno de nosotros. Ser un ministro debe costarnos, porque si no guardamos el tesoro más grande que tenemos, podemos perderlo.

Debes procurar que tus anhelos y sueños no se basen en los beneficios, lujos o impresiones para demostrar «lo que Dios hace contigo», sino más bien que se basen en «lo que Dios hace en ti». Las apariencias engañan y no todo lo que se ve como «dormir, cantar y viajar» es placentero o satisfactorio, sino que amerita un compromiso con el Señor más grande de lo que se ve externamente.

Todos los discípulos fueron llamados a llevar el mensaje, pero ellos no fantasearon con el hecho de ser reconocidos, de ser grandes artistas o estrellas del mensaje de salvación, sino que su corazón estaba totalmente enfocado en el compromiso que tenían de compartir el mensaje que les había cambiado la vida. Jesús les dijo: «Id por todo el mundo y predicad el evangelio a toda criatura» (Marcos 16:15), y se tomaron muy en serio el hacerlo, puesto que, a partir de esas doce personas, gran parte del mundo ha conocido el nombre de Jesús.

Me llama la atención algo que dijo Pablo en Hechos 20:24: «Sin embargo, considero que mi vida carece de valor para mí mismo, con tal de que termine mi carrera y lleve a cabo el servicio que me ha encomendado el Señor Jesús, que es el de dar testimonio del evangelio de la gracia de Dios» (NVI).

Me impresiona tanto el compromiso que tenía Pablo, que desvalorizó su propia vida con tal de cumplir con lo que había sido llamado a hacer. Muchas veces creemos que es el ministerio lo que nos da valor, o que nuestra posición de reconocimiento por lo que hacemos es lo que nos define, sin embargo, es todo lo opuesto. Tener un compromiso con Dios se trata única y exclusivamente de Él, nosotros solo llevamos a cabo el servicio que se nos encomendó para anunciar el mensaje de Su gracia.

Cuando somos llamados debemos entender que el compromiso que asumimos con Dios es de no rendirnos hasta el final, aunque no se den las cosas como nosotros pensábamos. Que arda dentro de ti el llamado no garantiza que en algún momento no te vayas a sentir agotado o fatigado, pero esto se hizo para valientes que no desisten ante sus necesidades ni comodidades, sino que hacen las cosas entendiendo que no se trata de ellos, sino del Señor.

Quizás tu dinero, talento e influencia te pueda dar una posición en la que sientas haber alcanzado un sueño, pero no será hasta que veas el lado no tan agradable de todo esto, que será probado tu compromiso con el Señor de no desistir.

Si eres calificado y capaz de hacer todo por Él hasta el final, prepárate para dormir, cantar y viajar.

Reflexionemos juntos

Querido amigo, puedo asegurarte que servir a Dios y responder a Su llamado es la experiencia más hermosa que puedas vivir, y al mismo tiempo, tienes que atravesar situaciones duras. Como ya te he compartido, la vida del salmista, el pastor, el evangelista, no es tan sencilla como algunos creen. Realmente se necesita de fortaleza espiritual, emocional y física para responder al llamado. El servicio no tiene horarios ni distancias, no depende del frío ni del calor, simplemente se debe servir con amor y alegría porque ese es nuestro llamado.

1– ¿Sientes que Dios te ha llamado a servirle como salmista, pastor, evangelista, maestro, profeta?

2– ¿Estás dispuesto a enfrentar los momentos difíciles del servicio o solamente disfrutar de la parte bella del llamado?

Reflexiona conmigo acerca de cada uno de los capítulos que te he compartido y observarás que hasta llegar al propósito tuve que atravesar muchas noches sin dormir, habitaciones solitarias y desilusiones humanas. Debes saber que el servicio está formado por todo lo bello y todo lo difícil. Porque si aun así lo anhelas, buena cosa deseas.

Hay un sonido en ti

NO EXISTEN
DOS «TÚ»
Tampoco existen dos "yo."

HAY UN SONIDO EN TI

Estoy AGRADECIDO CON DIOS Y CONTIGO, amigo lector, por haber dispuesto de tu tiempo para crear un espacio donde Dios, tú, y yo hemos estrechado un vínculo a través de esta lectura. Bendigo tu caminar y la constancia que has tenido para llegar hasta este punto.

Si estás leyendo las palabras de este capítulo es porque me acompañaste a lo largo de un viaje donde te abrí mi corazón y en largas conversaciones te he dado a conocer mis vivencias. Desde las crisis que he atravesado, hasta lo que el Señor ha hecho conmigo. También te conté sobre mi pasión por la música y cómo ella ha sido el canal a través del cual sirvo a Dios, que, a pesar de los altos y bajos, nada ha podido detener mi compromiso inquebrantable con el cumplimiento de la Gran Comisión que se nos ha sido dada.

En cada página describí las inusuales maneras y duras circunstancias en las que aprendí a cantar y a desarrollar mis habilidades para servir a Dios con la mayor excelencia. Quizás he descrito muchas experiencias, momentos y lugares clave que marcaron la vida de Robert Green, pero ahora te contaré algo muy particular que sucedió en mis inicios para luego poder conversar un poco de ti.

Seguramente, al caminar en mis zapatos a través de la lectura descubriste herramientas de ti que antes desconocías, como por ejemplo el valor de los dones y talentos, pero ahora quiero hablarte de algo más, que considero el factor más importante para lograr nuestro objetivo de servir a Dios de la manera correcta.

En este último capítulo quiero que podamos descubrir lo auténtico, original y único que el Creador puso en tu interior. Si aún no lo has hecho, para comenzar te hago saber que en todo el universo no hay otro como tú, que eres especial. Dios te hizo único.

Como siervos del Señor, lastimosamente hemos cometido muchos errores descuidando nuestra autenticidad y nuestros talentos utilizándolos mal, ya sea por ignorancia o por desconocimiento de lo que Dios quiere hacer en nosotros.

Una de las principales cosas que ignoras, pero que seguramente te ha estancado, se llama «comparación», y a partir de ahora debes considerarla tu gran enemiga. Todos en algún punto hemos acudido a ella para evaluar qué tan buenos o malos somos, de acuerdo con el parámetro que me marca otra persona. Y en los caminos del Señor, no debe existir eso en nosotros.

Las comparaciones nos hacen resaltar lo que nos falta, lo que no tenemos pero que otro posee. Esto de muchas formas puede crear ansiedad e incluso depresión. Puesto que no somos capaces de comprender lo que Dios ha depositado en nuestro interior.

Buscar parecernos a alguien a la fuerza es trabajar en vano, ya que como individuos fuimos diseñados con talentos y dones diferentes, y al no lograrlo llega la frustración de intentos fallidos buscando ser alguien que no somos. Le reprochamos a Dios el hecho de que no podemos crecer en lo que hacemos, esto se debe a que estamos mirando la forma del otro en lugar de arriesgamos a descubrir lo que Dios ha puesto dentro de nosotros.

Permíteme contarte cómo descubrí y valoré lo que Dios había colocado en mí, para que puedas reflejarte en mi historia y juntos descubrir el sonido que hay en ti.

Cuando me apasioné profundamente por el canto y empecé a mostrar mi talento públicamente, me di cuenta de que había numerosos prototipos de cantantes con los que empecé a compararme y, de alguna manera, perdí mi autenticidad y hasta cuestioné la voz con la que cantaba.

Tantas veces repetí frases en mi mente como: «Tienes que cantarla así, como tal cantante» o «no la estás cantando igual, debes hacerlo como él, parecerte a aquel», «el estilo que se está usando debe ser diferente al que tú cantas», perdiendo por completo mi originalidad como artista y como ministro del Señor.

Por tratar de ser un buen imitador de alguien que admiraba, no tuve la capacidad de ver que el Creador había colocado algo único y auténtico en mi interior y necesitaba encontrarlo.

De alguna manera, el hecho de que no me parecía a Marcos Witt, a los cantantes del ministerio Hillsong, a Marcos Vidal o a otros grandes siervos de Dios con los que me comparé, me trajo inseguridad. Pero la presión se incrementó cuando quienes me rodeaban me incitaban a imitarlos con la recomendación de que hallaría el éxito, ya que nuestro medio artístico valoraba positivamente a quienes mostraban el estilo de ciertos cantantes internacionales y famosos, mientras que yo, con mi forma particular y diferente de hacerlo no encajaba en ellos.

Fueron tantas las decepciones y frustraciones, que abracé la idea de que nunca lograría algo con mi voz. Hasta que una noche, en mi habitación, a solas con el Señor, exploté en un mar de lágrimas y expuse esa molestia que estaba agobiando mi corazón. Me senté en el suelo y con la mayor inconformidad, y cierta actitud de reclamo, le dije muchas cosas a Dios.

Llegué hasta el extremo de reprocharle y quejarme por la forma en la que cantaba. ¿Puedes imaginarlo? Le reclamaba al amo del Universo y al más sabio de todos, la decisión que había tomado de colocar esa voz en mí. Evidentemente, mi identidad estaba totalmente perdida. Con disgusto le dije a Dios: «Mi voz es muy ronca, no se parece a la de nadie y a nadie le gusta».

SOMOS ORIGINALES, NO COPIAS

Dios te hizo exclusivo/a y esto agrada a Su corazón. Cuando nos desviamos de esto podríamos ofender garrafalmente las decisiones de Dios e ir en dirección totalmente opuesta a la que quiere llevarnos.

Satanás es imitador y falsificador por excelencia. Tanto es así que quiso «ser como Dios». ¡Algo imposible! Y hasta el día de hoy, su intención ha sido falsificar todo lo que Dios ha creado tan originalmente, así como desviar todo aquello que Él depositó en nosotros, para alejarnos del propósito para el cual fuimos creados.

Sus falsificaciones se han introducido en todas las áreas de la vida humana: la música, el arte, la cultura, la economía, la identidad sexual, la familia, la iglesia, entre otros. Satanás, el falsificador y padre de toda mentira, busca distraerte y encerrarte en una vida ficticia, haciéndote creer que naciste para ser como alguien más. ¡No se lo permitas! ¡Tú eres único!

¡Qué ridículas eran mis quejas! ¿Cómo quería ser una copia? ¿Cómo es que en ese momento pensaba que lo depositado en mí venía de las sobras? Fui engañado pensando que Dios, con los increíbles talentos que tenía para dar, había hecho a mejores cantantes y que para mí solo dejó los residuos. ¡Wao! ¡Qué mal influenciado estaba por el enemigo!

A pesar de mi altanera forma de reprocharle a Dios cosas sin sentido, Él tuvo misericordia de mí. Impresionantemente, de un segundo al otro, el Espíritu Santo utilizó esa misma boca con la que estaba quejándome, la calló y la usó para hablarme. En medio de mi quebranto, de forma sobrenatural comencé a decir palabras de parte del Espíritu Santo que respondían a cada una de mis preguntas. ¡Qué lindo es Dios! Con mucha paciencia y un acto de mucho amor tomó de su tiempo para revelarme la importancia de lo que Él había depositado en mí.

De una forma inexplicable, la voz del Espíritu con gracia y verdad desarmó mis quejas con preguntas: «¿Cómo vas a pensar que he puesto algo en ti que no lo haya diseñado, valorado y acondicionado para que sea perfecto para tu vida? ¿Cómo voy a tomar de lo peor que tengo para dártelo a ti?».

Esas simples preguntas me dejaron impresionado. No sabía cómo responderle a Aquel que lo sabe todo. Solo hice silencio. Pero luego me dijo: «En todo el Universo eres único, tienes un propósito y llamado original. No te compares con nadie, ni permitas que te comparen. Tomé de mi tiempo para diseñarte con cada detalle, y no los puse en ti porque me sobraran, sino que ese sonido dentro de ti es el que agrada a mi corazón, perfuma mi trono y me hace feliz».

Esta experiencia me hizo entender que todos los recursos que Dios puso en mí tenían valor, y aunque no me gustaran o inclusive pensara que, al mundo, a los líderes, a mis amigos ni aun a mi familia les gustaran, estos eran los que habían sido puestos para impactar a las naciones.

Luego de ser confrontado con esta revelación tan grande, pude entender una verdad poderosa que cambió mi vida y tiene el potencial de cambiar la tuya: ¡Dios depositó un sonido original, único, auténtico y perfecto dentro de cada uno de nosotros! Porque somos hechura suya (Efesios 2:10).

No importa qué tan bien o mal cantes o toques algún instrumento, si entiendes que Dios puso en ti la gracia especial para hacerlo, hazlo y perfecciona lo que tienes, sin perder tu esencia.

Existen muchos complejos que tal vez te sugieren continuamente a quien debes parecerte y eso hace que nunca estés conforme contigo mismo, quizás detestas tu propio rostro, no te gusta tu cabello, estás inconforme con tu propio aspecto físico, pero lo que tienes Dios lo miró, lo analizó y lo creó sabiendo que sería lo que te quedaría más bello, hermoso y perfecto para mostrarlo a Él.

Agradece todo lo que el Padre haya puesto en ti, ya sea grande o pequeño, tu voz soprano o contralto, *mezzosoprano* o barítono, toques el piano o la trompeta, o tengas cualquier otro talento de las artes para Dios. Eso que tienes, desarróllalo, porque es lo que el Padre pensó al diseñarte y es el sonido que cumplirá su propósito, déjalo fluir en ti.

TU PROPIO SONIDO

Si me preguntas: «Robert, ¿qué debo hacer para encontrar mi propio sonido?». En primer lugar, reconoce que todo lo que Dios creó es bueno. «Porque todo lo que Dios creó es bueno, y nada es de desecharse, si se toma con acción de gracias» (1 Timoteo 4:4 RVR 1960).

Pon tu mirada en Jesús y cuando te sientas frustrado o confundido corre a los brazos del Alfarero y permite que como al barro le dé forma a cada uno de los sistemas de tu cuerpo, tus talentos, pensamientos y todo tu ser de nuevo. «Y a pesar de todo, oh SEÑOR, eres nuestro Padre; nosotros somos el barro y tú, el alfarero. Todos somos formados por tu mano» (Isaías 64:8 NTV).

Cuando un dispositivo electrónico se desconfigura, el fabricante más que nadie sabe exactamente como reiniciarlo. Eso pasa con nosotros. Cuando nuestra vida se desconfigura, solo Dios puede reiniciarla, haciendo que todas las cosas sean hechas nuevas y funcionen para lo que fueron creadas.

Debes conocer las herramientas que están a tu alcance, e ignorar lo que te gritan tus inseguridades, tus complejos y tu falta de identidad. No te escondas en tu caparazón. Dale la oportunidad a Dios de que exponga lo que puso en tu interior. Es mejor restarles importancia a los halagos humanos, porque eso no define si lo que haces está realmente bien o mal. Afina tu corazón con el corazón de Dios, explora y descubre esas cualidades únicas que Él puso en ti, y recuerda: Eres especial. Aprovecha las plataformas que tienes disponibles para servir y dejar salir a la luz tu sonido.

Recuerdo que mi pastor Santiago Ponciano me miraba y me decía: «Vuela, Dios va a hacer algo grande en cualquier momento. Prepárate, cree en lo que Dios ha depositado en tu vida».

¡Cuánto agradezco a mi pastor que, sin importar mis dudas, me brindó en la iglesia la oportunidad para crecer y disipar mis inseguridades! Al permitirme dirigir la alabanza e impulsar lo que Dios puso en mí, con su apoyo fui descubriendo mi propio sonido. Su confianza fue más grande que la que yo tenía en mí mismo, y al ver mi potencial me encargó dirigir todas las ministraciones de la alabanza en los diferentes cultos de la semana. Esto sin duda colaboró a descubrir y explotar lo que Dios había puesto en mi interior.

Doy gracias a Dios por lo que mi pastor hizo en ese momento, y creo que es un buen ejemplo que todos deberíamos imitar como iglesia. No solo porque alguien sea hijo de pastor o de alguna figura de liderazgo se le debe dar la oportunidad de dirigir la alabanza, predicar o servir en cualquier área de la iglesia, sino que hay que brindar el apoyo a muchos jóvenes talentosos, que quizás por ahora dudan de su potencial, pero hay en ellos un sonido que Dios quiere usar para bendecir y ministrar a Su pueblo.

Si motivamos e impulsamos lo que Dios puso en ellos, esto contribuirá a sacar lo mejor de muchos creyentes a los que Dios ha capacitado. Activa tu propio sonido y con lo que tienes, únete a quienes, de diferentes formas, llevamos el mismo mensaje.

Unidos en oración, debemos clamar para que los jóvenes despierten a su propio sonido, eso tan especial y original que los caracteriza. Oremos para que mantengamos una misma esencia al mostrar a Jesús, pero con talentos que nos diferencian. «Cada uno según el don que ha recibido, minístrelo a los otros, como buenos administradores de la multiforme gracia de Dios» (1 Pedro 4:10 RVR 1960).

El final de este versículo afianza mucho más el hecho de que Dios nos hizo diferentes a todos, pues «la multiforme gracia de Dios» son las diferentes formas en las que Dios se manifiesta en nuestra vida. No existen dos «tú». Tampoco existen dos «yo». La gracia de Dios tiene millones de formas y Él se encargó de colocar una distinta en cada individuo, para mostrar su gloria. «Y si todos fueran un solo miembro, ¿qué sería del cuerpo? Sin embargo, hay muchos miembros, pero un solo cuerpo» (1 Corintios 12:19-20 LBLA).

Cuando era pequeño, mis padres me enseñaron a Jesús de formas maravillosas, por lo que di frutos. Con su ayuda, logré expandir mis oídos espirituales para escuchar el plan personal que Dios tenía conmigo, para poder manifestar a plenitud, lo que podía hacer a través de los dones específicos que depositó en mi vida. Con mis propios hijos he aprendido acerca del balance delicado que necesitamos para guiar a los niños en el camino de la salvación.

Nuestros hijos deben ser guiados por la voluntad de Dios y no por nuestros caprichos personales. Debemos dirigirlos hacia el Señor, no para que sean iguales a nosotros, sino para que el Señor los guíe en su propósito.

Tenemos la responsabilidad de motivar a nuestros hijos, pero sin interponernos en el propósito de Dios para ellos. Si nuestros hijos están fundamentados en Dios, debemos corrernos a un lado y dejar que tomen sus propias decisiones. Solo podemos aconsejarles que esas decisiones sean consultadas con el Eterno, sin presiones sociales, familiares e incluso ministeriales.

Si tienes hijos, comprométete a alentarlos a descubrir los talentos especiales que Dios colocó en ellos y a luchar con valentía por ese propósito, siempre y cuando estén seguros de que se trata de los sueños que el Señor tiene para ellos.

HABLEMOS DE TI

Ahora bien, te haré algunas preguntas muy personales: ¿Conoces el sonido que hay en ti? ¿Reconoces la capacidad auténtica que Él depositó en tu interior para agradarlo? ¿Sirves con el don único y especial con el que fuiste diseñado para bendecir a otros?

No todas las respuestas a estas preguntas deben ser «sí», quizás aún hay muchas cosas que no has descubierto de ti mismo, pero te garantizo que Dios usará cada experiencia, decisión, vivencia y proceso que atravieses para sacar lo mejor de ti y fortalecer tu carácter y así puedas con autoridad dejar salir, sin ninguna inseguridad, lo que Él está necesitando exponer de tu vida.

Seguramente se han burlado, te han señalado, incluso has sido avergonzado por tantas personas que no perciben la grandeza de lo que Dios depositó en ti. Sin embargo, Él, en su inmensa habilidad de crear, ya diseñó y tomó la decisión perfecta de colocar en tu interior un sonido que va más allá de tu voz, tu instrumento musical, tu habilidad de predicar, tocar, o cualquier otro arte con el que te identifiques.

Nuestro Dios no pierde el tiempo, es el dueño del tiempo, y a partir de ahora, en el proceso en el que descubres el sonido que hay en ti, no dudo que empezarán los mejores días de tu vida, donde verás su gloria manifestarse a través de lo que haces. Fuiste diseñado con dones y habilidades para impactar naciones y generaciones.

Suelo decir que «falta más por escuchar que lo que hemos escuchado, y aún falta más por ver de lo que hemos visto». Dios es un Dios que no se termina, sino que en Él siempre hay algo nuevo que descubrir. ¿Sabes lo que quiero decirte con esto? Si hasta ahora no has visto lo que Él hará contigo es porque te está preparando para algo mayor y mejor que lo que ya hizo.

A partir de hoy busca insaciablemente el accesible y generoso corazón de Dios. Sé genuino y Él te dará mucho más de lo que puedes pedir. Conviértete en el aprendiz y el seguidor leal que sigue el ejemplo perfecto del Padre. Conviértete en Su mano derecha, en alguien de confianza en quien pueda depositar los más grandes sueños y planes que lo hagan glorificarse en el mundo.

Te he narrado toda una historia que aún sigue transcurriendo, pero que hasta el día de hoy, Dios me ha permitido conocer quién soy en Él, cuál es mi llamado, y reconocer que no hay esfuerzo tan grande que yo pueda hacer para que Él me ame más. Por Su gracia me ha escogido y yo por amor he obedecido.

Haz que cuente el sacrificio de amor que pagó por nosotros, camina con Él todos los días de tu vida y deja salir el sonido que hay en ti.

En el viaje de tu vida, vendrán muchos altos y bajos, y es normal que todos los seres humanos crucemos por ellos, pero nunca olvides: **Dios tiene un propósito contigo.**

Reflexionemos juntos

Descubrir nuestro propio sonido es algo que debes lograr a solas con el Señor. Quizás mis palabras y experiencias relatadas a lo largo de estas páginas te hayan ayudado en algo, y eso deseo realmente. Pero es mi oración que puedas encontrar dentro de ti, no importa la edad que tengas, ni si eres hombre o mujer, es que logres encontrar tu propio sonido. No me refiero únicamente a las notas musicales, las cuales amo y por tantos años entoné, sino al sonido de tu llamado cualquiera fuera. Eres único en tu ADN, único en tus huellas digitales, eres una creación original con un sonido propio. Ahora es tu tarea y desafío personal, hallarlo. Búscalo intensamente, y sé el mejor que Dios te ha llamado a ser. Cualquier sea el ministerio al cual fuiste llamado en Su propósito, sé único y original. Al ser tú mismo, afirmas y confirmas que *Dios tiene un propósito contigo.*

¿QUIÉN ERES?

¿Quién eres cuando bajas del escenario? ¿Quién eres cuando el foco que te alumbra se apaga? ¿Quién eres cuando la actuación termina? ¿Quién eres cuando el show llega a su fin? ¿Quién eres cuando tu discurso termina? ¿Quién eres cuando la cámara no te filma? ¿Quién eres cuando nadie te está tomando una foto? ¿Quién eres cuando nadie te está elogiando? ¿Quién eres cuando no llegan los aplausos? ¿Quién eres cuando tu ego no recibe consuelo? ¿Quién eres cuando tu sonrisa se desvanece? ¿Quién eres cuando la máscara de la «persona más feliz del mundo» cae? ¿Quién eres cuando estás solo? ¿Quién eres cuando Dios te dice que no? ¿Quién eres cuando la apariencia se va? ¿Quién eres sin tus redes sociales? ¿Quién eres cuando no estás rodeado de personas a las que les gustas, comparten, comentan todas tus publicaciones? ¿Quién eres cuando el que está impartiendo y ministrando no eres tú? ¿Quién eres cuando alguien te corrige? ¿Quién eres sin un micrófono o algún tipo de instrumento en tu mano? ¿Quién eres lejos de todo lo que es tan publicitado y engrandecido?

Porque para Dios, lo esencial sigue siendo lo que es invisible a los ojos, pero reflejado por el corazón. Para el Rey vale mucho más alguien que sea secreto, pero leal y fiel, que alguien que sea explícito, pero indiferente a los valores y fundamentos del Reino. No se trata de cuántas vallas publicitarias llevan tu imagen, sino de cuántas actitudes tuyas las personas pueden ver, leer y a través de ellas, encontrar a Jesús. La forma más hermosa de vivir no es exhibiendo nuestras «verdades» sino dejando que otros, a través de las huellas de nuestras acciones y comportamientos, descubran quiénes SOMOS DE VERDAD. Al Señor no le importa tu fama, estatus, visibilidad o glamour, eso no le atrae. Él está interesado en tu vida y no en el camuflaje que usas para sobrevivir. Está interesado en estar dentro de tu habitación cuando cierras la puerta con tu corazón arrepentido, porque deseas cambiar tu carácter, por ese hombre o mujer que se deja encaminar por Él y está sediento de transformación. Amigo, para Dios todo se trata de tu interior más que de lo exterior.

Robert Green

Printed in the USA
CPSIA information can be obtained
at www.ICGtesting.com
LVHW022036091223
766037LV00005B/463